ちくま学芸文庫

エロスの涙

ジョルジュ・バタイユ
森本和夫 訳

筑摩書房

目次

図版について

＊図版の掲載順は、若干の例外を除いて、原著に従った。ただし、編集上の都合により、関連する章の前（あるいは後）にまとめたものもある。
＊原著の（　）［　］はそのまま用い、〔　〕を訳注とした。
＊現在の収蔵先が変わった美術作品はこれを修正し、〔　〕で示した。

エロスの涙

本書は「ちくま学芸文庫」のために新たに訳出されたものである。

序

エロティシズムと道徳との関連づけは馬鹿げたことだと、われわれは考えるに至った。その起源がエロティシズムと遥か遠い昔の宗教的迷信との関連づけの中にあるということを、われわれは知っている。

けれども、歴史的な正確さを越えて、われわれはけっして次のような原則を見失うことはないのだ。すなわち、われわれの執念をなすのは、まず第一に、欲望が、つまり燃え上がる情熱がわれわれに示唆するものであるのか、それとも、われわれは、改善された未来への分別くさい配慮を持つのか、ふたつのうちのひとつだということである。

中間項があるように思われる。

私は、より良い未来への配慮の中で生きることができる。けれども、私はまた、その未来を、別の世界の中へ投げやることもできるのだ。ただ死のみが私をそこへ導き入れる力を持っている世界の中へである……。

この中間項は、おそらく避けがたいものであった。死の後にやってくるかもしれない酬いや罰を――何よりも重大に――当てにする時が、人間に到来したのである……。けれども、ついにわれわれは、そのような怖れ（あるいはそのような希望）がもはやものをいわなくなって、直接的な関心が中間項なしに将来的な関心と対峙することになる時代、燃え上がる欲望がそれだけで理性による熟慮された計算と対峙することになる時代を瞥見しているのだ。

燃え上がる情熱がわれわれを惑乱することを決定的にやめてしまうような世界を想像する者はいない……。また一方、もはや計算によって拘束されることはけっしてないような人生の可能性を想定する者もいない。

文明全体、すなわち人間生活の可能性は、生活を保証する手段の理性的な予見にかかっている。けれども、われわれが保証する任務を負っているこの生活――この文明化された生活――は、それを可能なものにするこれらの手段に還元されることはできない。計算される手段の彼方に、われわれは、これらの手段の目的――あるいは諸目的――を索めるのである。

明らかに手段でしかないものを自分の目的とすることは、つまらないことである。富の追求――あるときは利己的な個人の富の、また時としては共同の富の――は、確かに手段でしかない。労働は、手段でしかないのである……。

それとは反対に、エロティックな欲望への応答は、――詩情《ポエジー》とか恍惚とかいった、おそらくはより人間的な（より肉体的でない）欲望への応答と同様に（だが、エロティシズムと詩情なりエロティシズムと恍惚なりのあいだの相違は、決定的に捉え得るものであろうか）――このエロティックな欲望への応答は、目的なのだ。

実際、手段の追求は、つねに窮極的には分別くさいものである。ところが、目的の追求の方は、欲望に属しているのであって、その欲望というものは、しばしば理性に挑戦するのである。

しばしば、私の中で、欲望の充足が利益と対立する。けれども、私は欲望充足の方に屈する。なぜならば、それは凶暴にも私の最終目的となってしまうのだから！

とはいえ、エロティシズムは、ただたんに、このような私の目を眩ませる目的なのではないと主張することもできよう。子供の誕生がその帰結であり得るというかぎりにおいて、エロティシズムは、そのような目的ではない。けれども、子供が必要とすることになる世話のみが、人間的な意味で効用性の価値を持つのだ。だれ一人として、エロティックな活動――子供の誕生がその帰結となり得る――と、この効用的な仕事――それなくしては、子供は、ついには苦しみ、死んでしまうであろう――とを混同しはしない……。

効用主義的な性的活動は、エロティシズムがわれわれの生活の目的であるかぎりにおいて、エロティシズムと対立する……。けれども、生殖の計算ずくの追求は、鋸の仕事にも似て、人間的な意味では、みじめな機械的技術に帰する怖れがある。

人間の本質が、性欲《セクシュアリテ》――人間の起源、始まりである――の中にあるとしても、それは人間に狂乱のほかには解決法のない問題を提起する。

この狂乱は、《小さな死》の中において与えられる。最終的な死の前‐味として以外に、その《小さな死》を充分に生きることが、私にできるであろうか。

痙攣的な喜悦の激しさが、深く私の心臓の中にある。この激しさは、同時に、私はそれを語ることに戦慄するのだが、死の心臓でもあるのだ。その心臓が、私の中で開くのである!

この人間生活の両義性は、まさに、狂ったような笑いと嗚咽との両義性である。それは、人間生活の根柢をなしている理性的な計算をこのような涙と調和させることの困難さに係わっている……。この恐ろしい笑いと調和させることの困難さに……。

＊

本書の意味は、第一歩において、《小さな死》と究極的な死との同一性へと意識を開くことである。悦楽から、熱狂から、際限のない恐怖へ。

これが、第一歩なのだ。
理性の児戯の忘却へと、われわれを導きつつ！

おのれの限界を測ることができたことのない理性の。

その限界は、理性の目的が理性を超えるものであって、当然、理性の乗り越えと反対ではないという事実の中に与えられている！

乗り越えの激しさによって、私の笑いと私の嗚咽の混乱の中に、私を打ち砕く激情の過剰の中に、恐怖と私を困憊させる悦楽との類似、最終的な苦痛と耐え難い喜悦との類似を、私は捉えるのだ！

第一部　始まり――エロスの誕生

ローセルの岩かげでの公然たる性的結合〔64頁参照〕。オーリニャック文化期〔後期旧石器時代前半〕の浅浮き彫り。「向かい合ってあおむけに寝ている二人の人物。一方の人物は女である。他方は男で、女の下に姿が隠れている。」(ブルイユ神父は、この解釈を合理的だと認めている。)

I　死の意識

1　エロティシズム、死、〝悪魔〟

単純な性的活動は、エロティシズムとは異なる。前者は動物の生活の中にあるものであって、おそらく、ただ人間の生活だけが、エロティシズムという名にふさわしい《悪魔的》な相を規定する活動を現わすのである。

《悪魔的》ということとは、たしかにキリスト教に関係がある。けれども、一見したところ、キリスト教がまだはるか彼方にあったときに、最古の人類がすでにエロティシズムを知ったのだ。先史学の資料は感銘的である。すなわち、洞窟の壁面に描かれた最も古い時代の人間の像は、立った性器を持っているのだ。それらは、正確に言って《悪魔的》なものを、なんら持っていない。それらは先史時代のものであって、その時代における悪魔は……なんと言おうと……。

《悪魔的》ということが本質的に死とエロティシズムとの合致を意味するというのが事実であるとすれば、そして、悪魔とは結局われわれの狂気にほかならないとすれば、われわれが泣くとすれば、長い嗚咽がわれわれを引き裂くとすれば――あるいは、狂気じみた笑いがわれわれを捉えるとすれば――、生まれ出るエロティシズムに結びついた、死への（畢竟滑稽ではあるが、ある意味で悲劇的な死への）顧慮、その強迫観念を感知しないでいることができるであろうか。彼らの洞窟の内壁の上に残した自分たちの像において、この上なく頻繁に勃起状態にある自分たちの姿を描いた人々は、たんに彼らの存在の本質に――原則として――このような仕方で結びついた欲望の故に動物と異なっていただけなのではない。われわれが彼らについて知っていることに照らして、彼らは自分たちが死ぬであろうことを知っていた――獣たちはそれを知らないのだが――と言うことができるのである……。

人間は、きわめて古い時代に、死について戦慄的な認識を持ったのだ。立った性器を持った人間の像は、後期旧石器時代に始まっている。それらは、最も古い時代の象形の中に数えられるのである（それらは、われわれより二万年から三万年も先立つのだ）。

けれども、この死についての苦悶に満ちた認識に応ずるものである墳墓の最も古いものは、それらよりも遥かに溯る。すでに前期旧石器時代の人間にとって、死は、きわめて重い——そして、きわめて明瞭な——意味を持ったので、当時の人間は、われわれと同様に、近親の遺骸には墳墓を与えたのである。

そんなわけで、《悪魔的》な領域は、われわれの知っているように、結局キリスト教によって苦悶の意味を付与されたのであるが、実は——その本質においては——きわめて古い時代の人間と同じ時期のものなのである。悪魔の存在を信じた人々の目から見れば、あの世は悪魔的である……。けれども、すでに、萌芽的には、《悪魔的》な領域は、人間が——少なくとも人類の先祖が——自分たちの死ぬことを認識して、死の期待、その苦悶の中で生きるに至った時から存在したのだ。

2　先史時代の人間と絵画洞窟

人間存在が一度に完成されたのではないという事実から、特異な困難が生まれる。自分たちの死んだ同類を初めて埋めたこれらの人間たち、そして、その骨をわれわれが本当の墓の中に見出すこれらの人間たちは、最も古い時代の人間の痕跡よりも遥かに後のものなのだ。とはいえ、初めて自分たちの近親の遺骸の世話をしたこれらの人間たちも、彼ら自身、まだ正確な意味で人間的ではなかった。彼らがわれわれに残した頭蓋骨は、まだ猿のような顔立ちを持っているのだ。すなわち、彼らの顎は突き出しており、彼らの眉弓の上には獣のように骨ばった膨らみがついている場合がきわめて多いのである。それに、これらの原始的な生き物は、精神的にも肉体的にもわれわれを示している——そして、われわれを確証している——直立の姿勢を完全に持ちはしなかった。なるほど、彼らは立っていたのだが、彼らの脚は、われわれの脚のように、はっきりと立ち上がってはいなかったのだ。われわれは、彼らが猿のように自分たちの身体を覆って寒さから護る体毛を持ったと考えさえしなければならない……。われわれは、先史学者たちがネアンデルタール人という名で指しているものを、それの残した骸骨や墳墓によってのみ知っているのではない。彼らの先祖たちの石器よりも進んだ打製石器があるのだ。彼らの先祖たちは、全体として、もっと人間らしくないものであった。しかも、ネアンデルタール人は、さらに今度は、あらゆる点においてわれわれの同類であるホモ・サピエンスによって乗り越えられた（ホモ・サピエンス〔知識人間〕は、その名に反して、まだ猿と隣り合わせの先住の生き物よりも余計に知っていたわけではほとんどないのだが、しかし、肉体的にはわれわれの同類だったのである）。

先史学者たちは、ネアンデルタール人に、その先行者たちにと同様に、ホモ・ファーベル（工作人間）という名を与えている。ある用途に適合させられ、それ相応に製作された道具が出現するや、それはたしかに人間の事柄なのだ。知るということは本質的に《作ることを知る》ことであるということを認めるならば、道具は知識の証拠である。古代人の最も古い痕跡である道具を伴った骸骨は、北アフリカ（テルニフィーヌ・パリカオ）で発見されたもので、およそ百万年前のものである。けれども、死が意識的となる時代は、初期の墳墓によって劃されるのであるが、その時代は、すでに巨大な興味を（とりわけエロティシズムの面において）惹く。その時期は、はるかに後である。それは、概して、われわれより十万年前なのである。最後に、われわれの同類、すなわち明瞭にわれわれ人類への帰属を示すような骨格を持ったものの出現は、（孤立した骸骨の残骸を勘定に入れずに、ある文明全体に結びついた多数の墓を問題にするならば）、せいぜい三万年前に溯る。

三万年……。けれども、今度は、もはや発掘によって科学とか先史学とかに提示される人間の遺骸に関する事柄ではない。それらの学問は、解釈し、そして必然的に無味乾燥にするものなのだが……。

それは、輝かしい標章に関する事柄なのだ……。深い感受性に力を及ぼす標章に関する事柄なのだ。これらの標章は、結局、感動させる力を持っているのであって、おそらく、これからはもはやわれわれを惑乱させることをやめないであろう。これらの標章とは、きわめて古い時代の人間たちが彼らの呪術的儀式を執り行なったに違いない洞窟の内壁に残した絵画なのである……。

後期旧石器時代の人間、先史学があまり正当でない名（ホモ・サピエンスという名）[1]で呼んだ人間の到来までは、初期の人間は、まだ一見したところ動物とわれわれとの中間物でしかない。その晦冥の中において、この生き物は必然的にわれわれを魅惑するのであるが、それが残した痕跡は、全体として、この漠然たる魅惑に、ほとんどなにもつけ加えないのだ。それについてわれわれの知っている事柄は、われわれを内面的に感動させるのであるが、最初から感受性に語りかけはしないのである。その葬式の習慣から、その人間は死の意識を持っていたという結論をわれわれが引き出すとしても、ただ考察力が直接的に突き動かされるだけなのだ。けれども、後期旧石器時代の人間であるホモ・サピエンスが、いまや、たんに並はずれた美（彼らの絵画は素晴らしいものである場合が多い）によってだけではなく、われわれを感動させる標章によって、われわれに知られているのである。これらの標章は、彼らのエロティックな生活の多数の証言をわれわれにもたらしてくれるという事実によって、さらにわれわれに力を及ぼすのである。

われわれがエロティシズムという名で呼んでいるものであり、人間を動物に対置するものであるこの極度の感動の誕生は、たしかに、先史学的な研究によって認識にもたらされるものの枢要な一様相なのだ……。

オーリニャック文化期(?)の「造形的語呂合わせ」〔男根にも女性像にも見える〕。トラジメーヌ湖付近で発見された小立像。

石灰岩に刻まれた女性の恥丘の三角形。オーリニャック文化期。

〔短縮透視図法〕

〔正面〕

おそらくは「造形的語呂合わせ」(男根の外見をした女性裸像)。シルイユ(ドルドーニュ県) のオーリニャック文化期の小立像。それぞれ正面から、短縮透視図法により、後ろから見たところ。

〔背面〕

〔正面〕

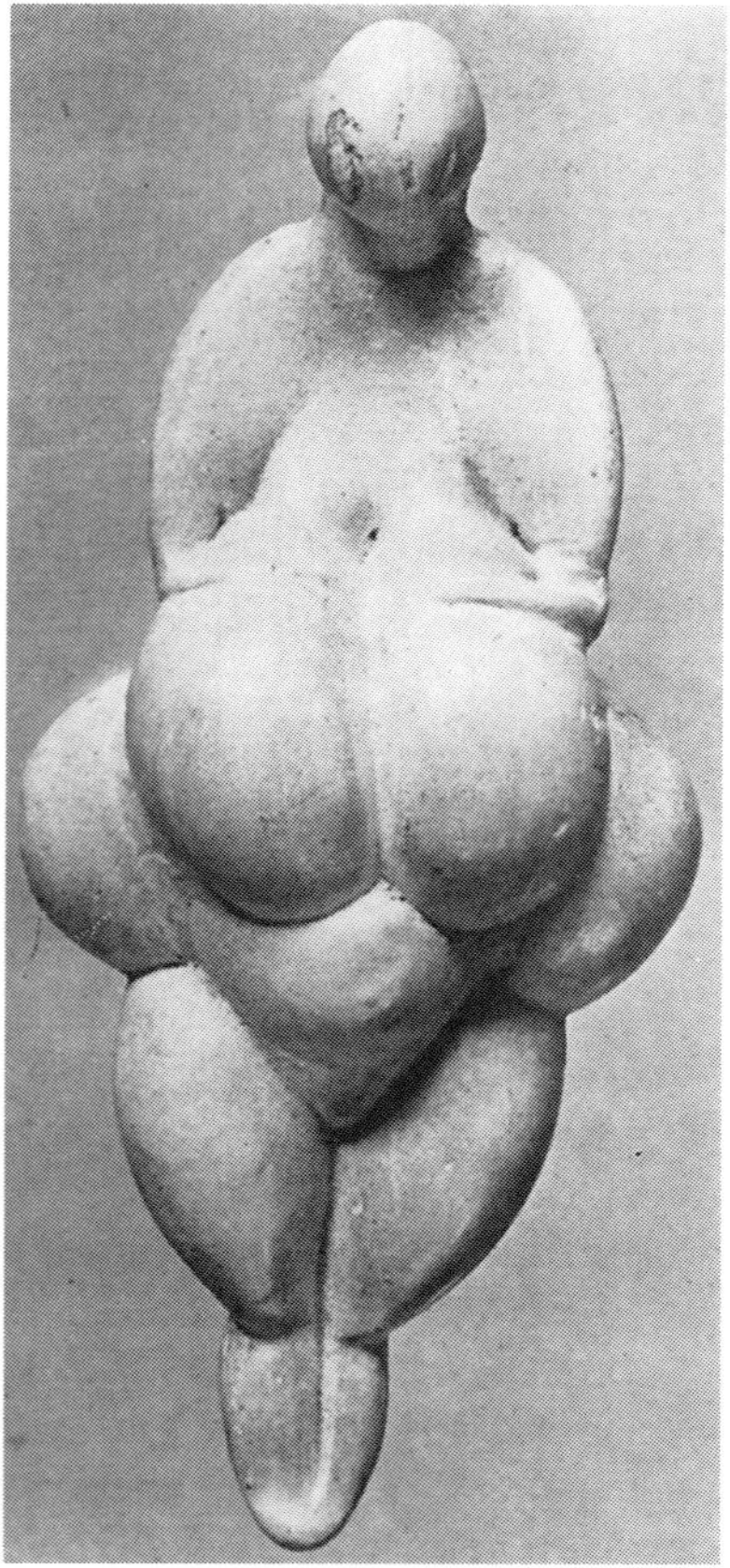

有名なレスピューグ〔オート＝ガロンヌ県〕のヴィーナス。後期オーリニャック文化期〔現在ではグラヴェット文化期として区別する〕の象牙製小立像。それぞれ正面から、横から、後ろから見たところ。サン＝ジェルマン＝アン＝レー、〔国立先史学〕博物館

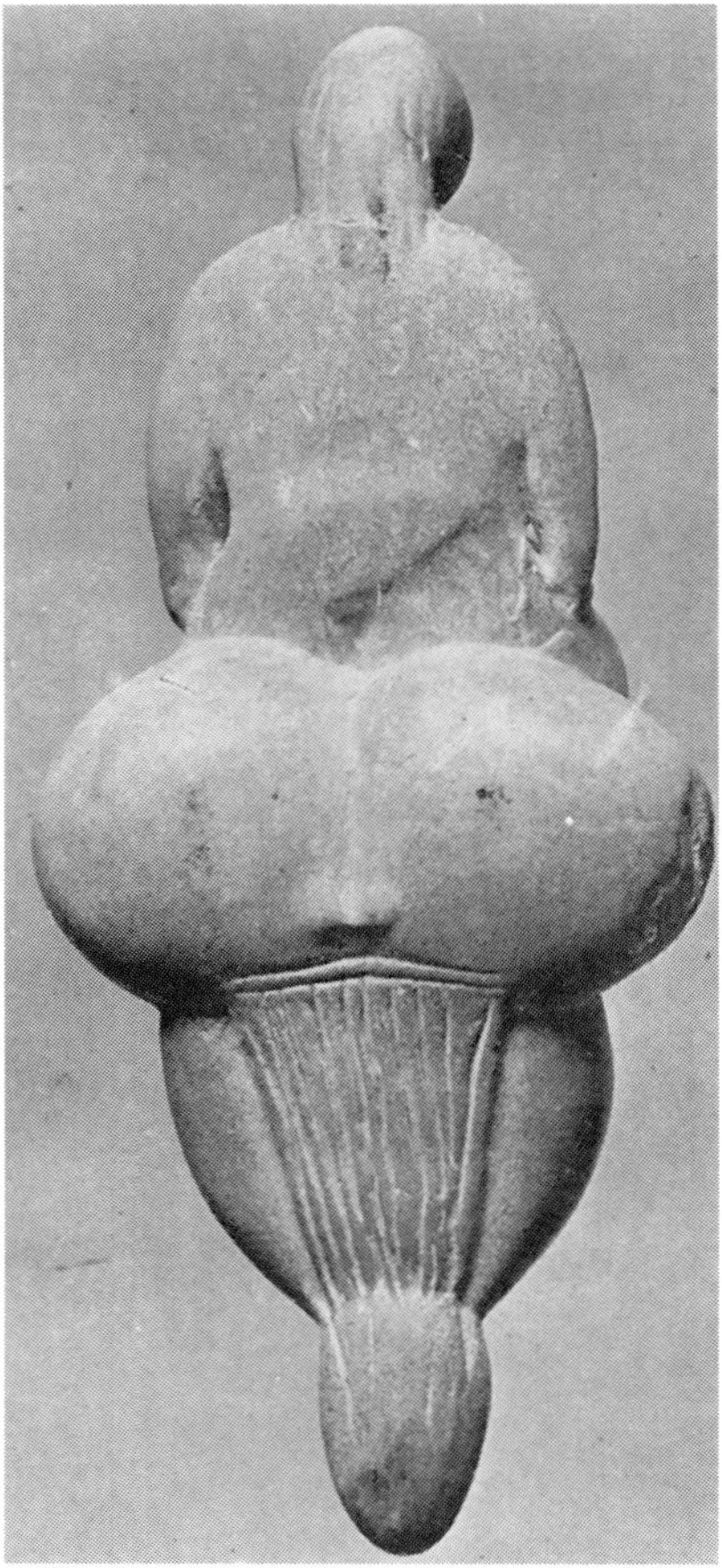

〔背面〕

〔側面〕

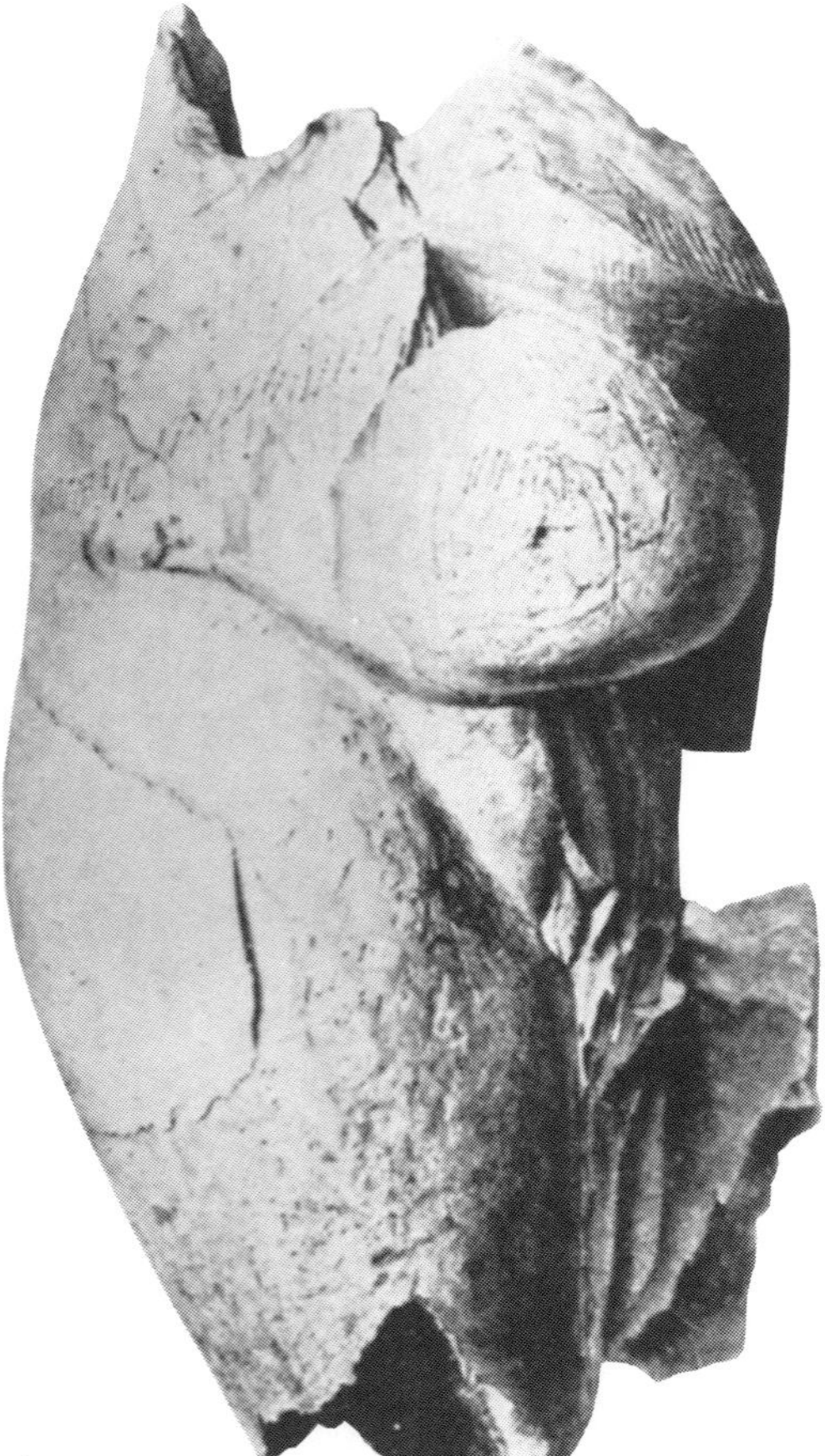

ブラサンプイ〔ランド県〕の女性小立像（「洋梨」と通称される女性の胴体)。中期オーリニャック文化期前半。

上：女。ローセルの浅浮き彫り（後期オーリニャック文化期）。
左：シルイユの小立像［側面］（中期オーリニャック文化期）。
パリ、人類博物館

後期オーリニャック文化期〔グラヴェット文化期〕のもうひとつの有名な小立像：ヴィレンドルフ〔下オーストリアのドナウ川河畔〕のヴィーナス。 ウィーン、自然史博物館

マントン〔アルプ＝マリティム県〕の洞窟の裸の女。
後期オーリニャック文化期。
サン＝ジェルマン＝アン＝レー、〔国立先史学〕博物館

〔側面〕　〔正面〕

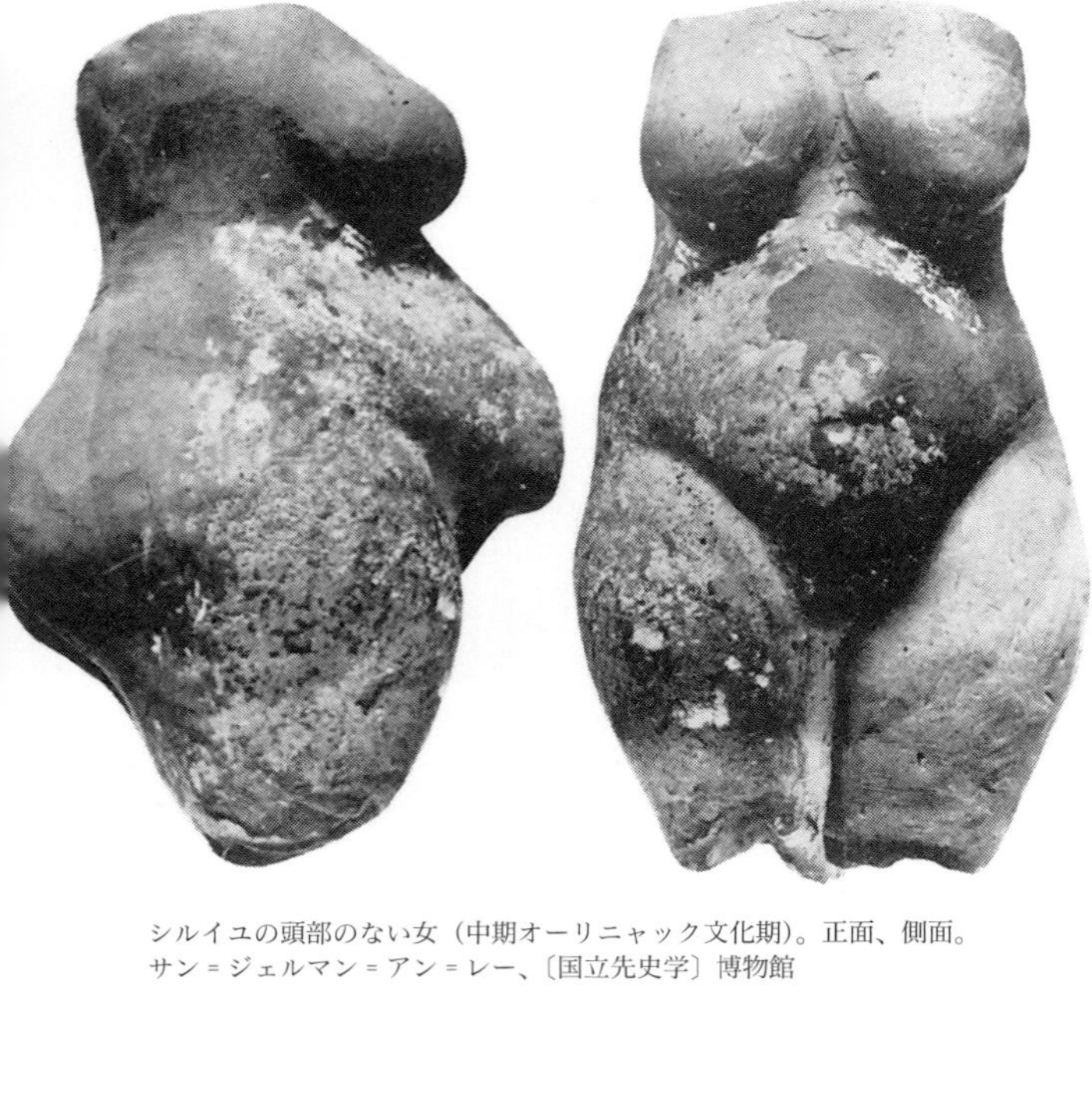

シルイユの頭部のない女（中期オーリニャック文化期）。正面、側面。
サン＝ジェルマン＝アン＝レー、〔国立先史学〕博物館

3 死の認識に結びついたエロティシズム

まだいささか猿のようなネアンデルタール人から、われわれの同類へ、すなわち、その骨格はわれわれの骨格となんら異なるところがなく、その姿をかたどった絵画や彫刻によって彼らが動物の豊富な体毛を失っていたということがわれわれに知られるこの完成された人間への移行は、おそらく決定的であった。われわれがすでに見たとおり、どうやら毛で覆われていたらしいネアンデルタール人は、死の認識を持っていた。この認識からこそ、エロティシズムが現われるのであって、それは人間の性生活を動物の性生活に対置するものなのだ。この問題は、提起されたことがない。概して、人間の性生活の営み方は、大部分の動物の場合のように季節的ではなくて、猿の営み方から派生したようにみえる。けれども、猿は、死の認識を持っていないという点において、人間とは本質的に異なっている。まだ不完全な人間であったネアンデルタール人が、近親の遺骸を埋葬するときに、敬意と同時に畏怖を滲み出させる迷信的な世話をもってしたのに、死んだ仲間の傍らにおける猿の行為は、無関心を表わしている。人間の性行為は、猿一般の性行為と同様に、いかなる季節的なリズムによっても中断されない強度の刺激に従属するのであるが、しかし、それはまた、動物には知られておらず、とりわけ猿にしても見せることがない慎みによって際立っている……。実は、性活動に対する気づまりな感情は、少くともある意味では、死や死者に対する気づまりの感情を想起させるのだ。両方の場合とも、《激しさ》が異様にわれわれから溢れ出る。どの場合も、起こることは受け入れた物事の秩序に対して異様なのであり、この激しさは、どの場合も、その秩序に対立するのである。なるほど、死の中にある無作法は、性活動が持っている卑猥さとは異なっている。死は涙に結びついているが、性欲は時として笑いに結びついているのだ。けれども、笑いは、見かけほどに涙の反対物ではない。笑いの対象と涙の対象とは、つねに、物事の規則的な流れ、習慣的な流れを中断するなんらかの種類の激しさに関係するのである。涙は、通常、われわれを悲しませる不意の出来事に結びつくのであるが、しかし、また一方、時としては、思いがけない幸福な結果がわれわれを非常に感動させて、ついにわれわれが泣くに至るようなこともあるのだ。たしかに、性的惑乱は、われわれに涙を流させはしない。けれども、それは常にわれわれの調子を狂わせ、時としては、われわれを動転させる。そして、われわれを笑わせるか、さもなくばわれわれを抱擁の激しさへと縛りつけるか、二つに一つなのである。

なるほど、死あるいは死の意識とエロティシズムとの一体性を明瞭に判然と見て取ることは難しい。激発的な欲望は、その原則において、生命に対置されることはできない。生命は、それの結果なのだ。エロティックな瞬間は、この生命の絶頂でさえある。生命の最大の力や最大の強烈さは、双方の生き物が引き寄せ合い、交わり合い、不滅にし合う瞬間に姿を現わすのだ。問題なのは、生命であり、それを再生産することなのであるが、生命は、みずからを再生産しつつ、溢れ出るのである。それは、溢れ出ながら極度の熱狂に到達するのだ。これらの混ぜ合わされた体は、身をよじり気を失いながら、悦楽の過剰の中へと沈み込んで、死の反対側へと赴くのである。やがて、後になって、死が、それらの体を、腐敗の静寂へと捧げることになるのだが……。

実際、一見したところ、誰の目から見ても、エロティシズムは、誕生に結びついており、死の劫掠を際限なく修復する再生産に結びついている。

だからといって、動物が、そして時として激発する性欲を持つ猿が、エロティシズムを知らないということに変わりはない。猿は、まさに、死の認識が欠如しているかぎりにおいて、エロティシズムを知らないのだ。それは、われわれが人間的であって、死の暗い見透しの中で生きており、エロティシズムの激発的な激しさ、その絶望的な激しさを認識しているという事実とは反対の事柄である。

いかにも、理性の効用主義的な限界の中で語っても、われわれは、性的擾乱の実践的な意味や必要性を感じ取っている。けれども、その最終的局面に《小さな死》という名を与える人たちの側にしても、彼らがその不吉な意味を見て取ったことは誤りだったであろうか。

「立った性器を持った人間の像は、後期旧石器時代に始まっている。それらは、最も古い時代の象形の中に数えられるのである（それらは、われわれより二万年から三万年も先立つのだ）。」（18頁参照）

グルダン〔オート＝ガロンヌ県〕の洞窟の男根を持つ人物像。マドレーヌ文化期〔旧石器時代末期〕。穴のあいた棒に刻まれた画。

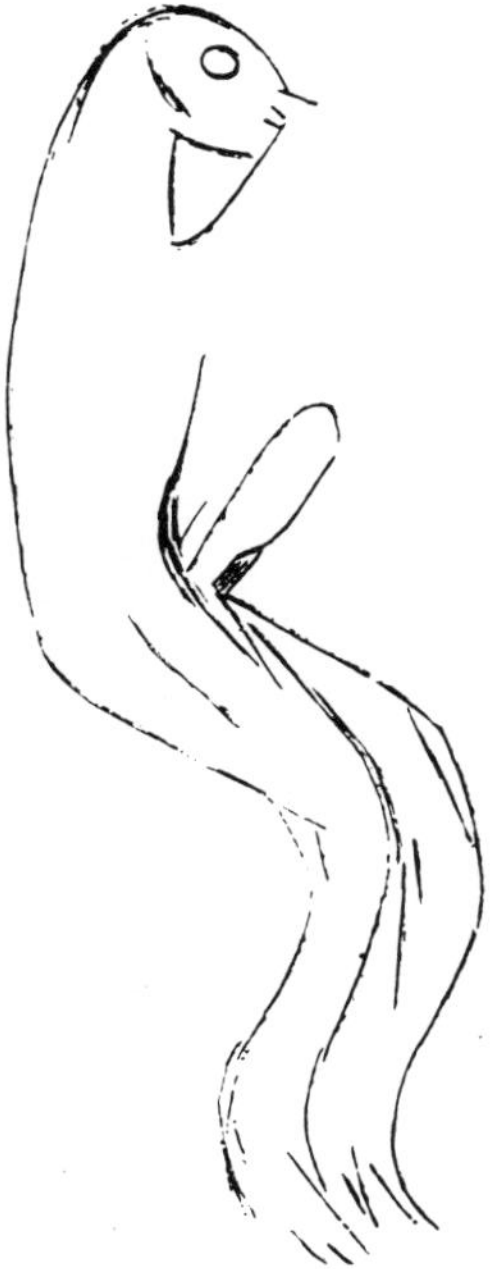

マドレーヌ文化期の勃起した男根を持つ人物像。アルタミラで刻まれたもの。

鳥の顔をした男。ラスコーの洞窟の竪坑の壁画の部分。紀元前13500年頃。
G・バタイユ『ラスコーあるいは芸術の誕生』（スキラ書店、1955年）参照。

4　ラスコー洞窟の〝竪坑〟の奥における死

死とエロティシズムという主題に対する晦渋な——直接的な——反応には、その意味を捉えることができると私に思われるものがあるが、そのような反応の中には、決定的な価値、根本的な価値がありはしないであろうか。

私は、始めに、われわれの手元に届いた最も古い人間の像が持つかもしれない《悪魔的》様相について語った。

けれども、この《悪魔的》要素、すなわち性活動に結びついた呪いは、ほんとうにこれらの像の中に現われているのであろうか。

私は、最も古い時代の先史学的資料の中に、聖書が顕示したテーマをついに再発見することによって、この上なく重い問題を導き入れていると思う。ラスコーの洞窟の奥底に、原罪というテーマ、聖書にある伝説のテーマを、再発見すること、あるいは少なくとも私がそれを再発見していると語ることによって！　すなわち、罪に結びつき、性的興奮に、エロティシズムに結びつく死を再発見することによって！

　この洞窟は、ともあれ、自然の窪みにすぎない――近づくことのきわめて困難な――一種の竪坑の中で、面くらうような謎を提起しているのだ。


　並はずれた絵画というかたちにおいて、ラスコーの人間は、われわれに差し出すこの謎を、この上なく奥深いところに埋め込むことができたのである。実をいえば、彼の目から見て、謎はなかった。彼にとって、自分の描くこの男やこの野牛は、明瞭な意味を持ったのである。けれども、今、洞窟の壁がわれわれに差し出す晦渋な像、すなわち、直立の性器によってそれとわかるけれども、崩れ落ちている鳥の顔をした男の像を前にして、われわれは絶望しなければならない。その男は、傷ついた野牛の前に横たわっている。野牛は死にかけているのであるが、男に立ち向かって、恐ろしく内臓をなくしている。

　ある晦渋で奇妙な性格が、この悲壮な場面を孤立させているのであるが、それに比較してみることのできるその時代のものはなにもないのだ。転倒した男の下の方には、同じような筆致で素描された一羽の鳥が棒の先にとまっていて、われわれの思考を迷わせるのにさらに力をかしている。

もっと先の方では、左手に向かって、一匹の犀が遠ざかってゆく。けれども、それは、野牛と鳥＝男とが、死の近接の中で結び合わされて、われわれに姿を現わしている場面に確実に結びつけられてはいない。

ブルイユ神父[訳註1]が示唆したように、犀は、野牛の腹を裂いたあとで、瀕死の者たちからゆっくりと遠ざかっているのかもしれない。けれども、明らかに、傷の源を人間に、瀕死の男の手が投げたとみることができる投槍に帰するという構成になっているのだ。それとは反対に、犀は、主要な場面から独立しているようにみえる。しかし、その場面は、永久に説明がつかないかもしれないのだが……。

何千年も前から、この見失われた——いわば近づき得ない——奥底に埋もれていたこの際立った喚起術について、ここでなんというべきであろうか。

近づき得ない？　現代において、正確にいえば二十年前から、厳密に四人の人がいっしょに、私が創世記の伝説に対置すると同時に結合する像を眺めることができるようになっている。ラスコーの洞窟は、一九四〇年（正確にいえば九月十二日）に発見された。

それ以来、少数の人が竪坑の奥に降りることができただけである。けれども、写真によって、並はずれた絵画が、かなり広く知らされた。もう一度いうが、この絵画は、鳥の顔を持った一人の男を表わしていて、その男は、おそらく死んでいるのであり、ともかく、猛り狂っている瀕死の野牛の前に転倒しているのである。

ラスコーの洞窟について六年前に書いた著作(2)の中で、私は、この驚くべき場面を私なりに解釈することを差し控えた。私は、あるドイツの人類学者の説明(3)を報告するにとどめたのである。彼は、その場面を、ヤクート人の供犠に比較し、男の態度の中に、仮面によって外見的に鳥に変装している道士《シャーマン》の恍惚状態《エクスタシー》を見ていたのだ。旧石器時代の道士——魔法使い——は、現代のシベリアの道士、魔法使いと、あまり違わなかったかもしれない。実のところ、その説明は、私の目から見て、ただ一つだけ長所を有している。それは、《その場面の異様さ》を強調しているということである。二年間の躊躇のあとで、私には、明確な仮説はないが、ある原理を持ち出すことができるように思われた。私は、新しい著作(5)の中で、「動物の殺戮に引き続く贖いは、なんらかの程度において洞窟絵画の生活に似た生活をしている民族のところでは、仕来りになっている」という事実に基づいて、次のように主張したのである。

「この有名な絵画[6]（それは矛盾する多数の脆弱な解釈を惹起したのであるが）の主題は、殺戮と贖いとなるであろう」。

道士は、死ぬことによって、野牛の殺戮を贖うのかもしれない。狩猟において殺された動物の殺戮の贖いは、多数の狩猟部族にとって、仕来りとなっているのだ。四年を経て、私には、発言の慎重さが過剰であったように思われる。その主張は、註解がないために、たいして意味を持たなかったのだ。一九五七年に、私は、まだ次のように言うにとどめたのである。

「少なくとも、このような見方は、洞窟の図像についての明らかに貧弱な呪術的（効用主義的）説明に替えるに、至高の営みの性格により多く合致する宗教的説明を以てするという長所を有しているであろう……」

こんにち、さらに先まで進むことが肝要だと、私には思える。この新しい書物の中で、ラスコーの謎が場所の全体を占めることにはならないが、少なくとも、それは、私の目から見て、私の出発点となるであろう。そして、私は、まさにその謎に触れて、一つの、無視したり省略したりしようのない人間の様相の意味を示そうとするつもりである。そして、その様相こそは、エロティシズムという名の指し示すものなのである。

II 労働と遊び

1 エロティシズム、労働、小さな死

私は、まず、もろもろの事柄を遠い昔から取り上げ直さなければならない。原則として、おそらく私は、エロティシズムのはたらく世界についてあまりに長々と語らずにすませながら、エロティシズムについて詳細に語ることができるであろう。とはいえ、エロティシズムについて、その誕生から独立に、すなわち、それの現われ出る最初の諸条件から独立に語ることは空しいように私には思われる。ただ動物の性欲から発するエロティシズムの誕生のみが、本質的な事柄を動き出させたのである。エロティシズムが、その起源においてどのようなものであったかを語ることができなければ、エロティシズムを理解しようと努めることは無益であろう。

私は、この書物の中で、人間がその所産である領域、まさにエロティシズムが人間をそこから逸脱させる領域を喚起しないわけにはいかない。歴史を、まず第一に起源の歴史を目指すとすれば、エロティシズムの無視は明白な誤謬を惹起する。けれども、もしも私が人間一般を理解しようとしつつ、とくにエロティシズムを理解したいと思うならば、最初に一つの義務が私に課される。それは、まず始めに、第一の地位を労働に与えなければならないということである。実際、歴史の端から端まで、第一の地位は労働に属しているのだ。労働は、たしかに人間存在の基礎なのである。

起源から（すなわち先史時代から）出発して、歴史の端から端まで……。それに、先史が歴史と異なっているのは、それを基礎づける資料の乏しさによるだけなのである。けれども、この根本的な点について、最も古い時代の最も豊富な資料は労働に関するものであるということを述べなければならない。厳密にいえば、われわれは骸骨を、すなわち人間自身の骸骨や彼らが狩りをした——そして、原則として、彼らが食用にした——動物たちの骸骨を発見している。けれども、石器こそ、われわれの最も遠い過去の中にいささかの光を導き入れることをわれわれに許してくれる資料のうちで圧倒的に数の多いものなのである。

先史学者たちの研究は、無数の削られた石を提供した。そして、その場所によって相対的な年代がわかることもよくあるのだ。これらの石は、ある用途に応ずるために細工されたのである。あるものは武器として、また他のものは道具として用いられた。道具は、あらたな道具の製造に役立ったのであるが、また同時に、武器の製造にも必要であった。《拳固》、斧、投槍、矢尻などの武器は、石でできていることもあったが、また時としては殺された動物の骨がその第一次材料を提供していたのである。

もちろん、これは人間を当初の動物性から解放した労働である。動物が人間になったのは、労働によってなのだ。労働は、なによりもまず、認識と理性の基礎であった。道具や武器の製造は、われわれがそれであったところの動物を人間化した初期の理性的思考力の出発点だったのである。人間は、材料を加工することによって、それに自分が与える目的にそれを適合させることができるようになった。けれども、この操作は、ただたんに彼がそれを割ることによって望み通りの形を与えられる石を変えただけではない。人間自身も変わったのだ。あきらかに労働によってこそ、人間は人間的存在に、すなわちわれわれのような理性的動物になったのである。

けれども、労働が起源であり、労働が人間たることの鍵であるということが真実であるとしても、人間たちは、労働から出発して、長い間に、動物性からまったく遠ざかった。とくに、彼らは、性生活の面において、そこから遠ざかったのである。彼らは、最初、労働において、自分たちがそれに割り当てる効用性に自分たちの活動を適合させていた。けれども、彼らは、ただ労働の面においてのみ発達したわけではない。彼らの生活の総体において、彼らは、自分たちの動作や行為を、追求される目的に応ずるようにしたのである。動物の性活動は本能的であって、雌を求め、交尾する雄は、本能的な興奮に応じているにすぎない。ところが、人間は、労働によって、追求される目的の意識に達したために、たんなる本能的な対応が自分たちに対して持つ意味を識別することによって、そのような対応から全般的に遠ざかったのだ。

その意識を持つに至った最初の人間たちにとっては、性生活の目的が子供の誕生であるはずはなかった。本能的な動きは、子供の養育を狙いとする男女の結びつきという方向に進んでいたのだが、動物性の境界内においては、この結びつきは、出産の後においてしか意味を持たないのであった。出産が、まず初めに、意識的な目標であったわけではないのだ。起源において、性的結合の瞬間が意識的な意志に人間的に応ずるようになったとき、その意志がみずからに与えた目的は、快楽であり、快楽の強烈さ、激しさであった。意識の境界内において、性活動は、まず官能的熱狂の計算ずくの追求に応じたのだ。現代においてもなお、古代的な未開の部族は、官能的な交合と子供の誕生との必然的な関連を知らなかった。人間的には、交合は、恋人同士の交合にせよ夫婦の交合にせよ、まずもって一つの意味、すなわちエロティックな欲望に属する意味をしか持っていない。エロティシズムが動物の性的衝動と異なるのは、それが、原則として、労働と同様に、目的の意識的な追求だという点においてなのであって、その目的とは、官能的悦楽なのだ。この目的は、労働の目的のように、獲得の渇望、増大の渇望ではない。ただ子供だけが獲得を表わすのであるが、しかし、原始人は、実際的に吉兆を示す子供の獲得の中に性的結合の結果を見ないのだし、文明人にとっては、一般に、子供のこの世への到来は、野生人に対して持ったような吉兆を示す——物質的に吉兆を示す——意味を失った。

いかにも、目的として扱われる快楽の追求は、現代において、しばしば悪い判断を受けている。それは、こんにち活動が基礎を置いている原理に合致しないのだ。実際、官能的な追求は、断罪されはしないにせよ、ある境界内において、それについては語らない方がよいといったやり方で取り扱われていることに変わりはない。しかも、その上、深いところでは、一見したところ正当づけることができないような反応が、そうだからといって論理性において劣っているということにはならないのである。原始的な反応は、今なお作用することをやめていないのだが、そのような反応においては、官能的悦楽はエロティックな営みの予見される結果である。ところが、労働の結果は儲けである。すなわち、労働は富をもたらすのだ。もしも、エロティシズムの結果が、子供が生まれるかもしれないということとは独立に、欲望の観点において取り扱われるとすれば、それは喪失であって、それには、《小さな死》という逆説的に正当な表現が応ずるのである。《小さな死》と、死とか死の冷たい恐怖とかとの間には、ほとんど共通点がない……。けれども、エロティシズムがはたらいているときに、その逆説は場違いであろうか。

実際、死の意識によって動物に対置される人間は、また、エロティシズムが、彼において、器官の盲目的な本能に替えるに、意志的な営み、計算、快楽の計算を以てするに応じて、動物から遠ざかってゆくのである。

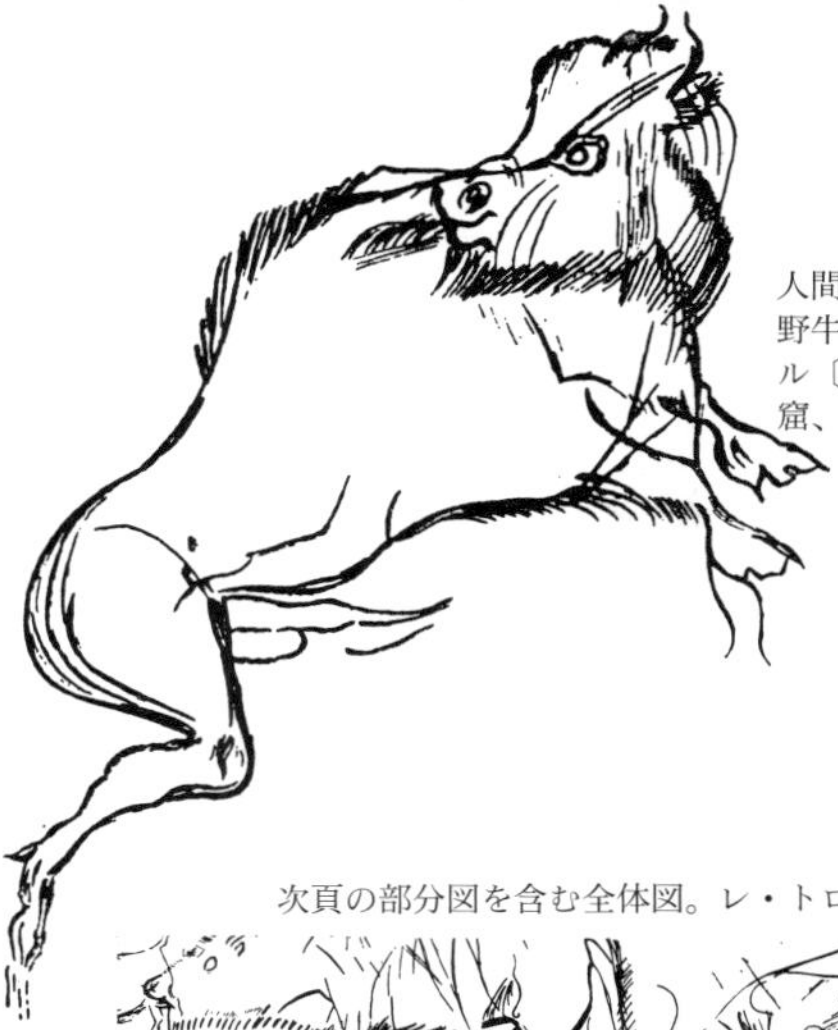

人間の後ろ足と性器を持つ野牛。レ・トロワ・フレール〔アリエージュ県〕の洞窟、〈聖所〉。

次頁の部分図を含む全体図。レ・トロワ・フレールの洞窟。

神話的場面。半 = 鹿で半 = 野牛の動物と掌状の前足を持つトナカイの後に従う野牛 = 人間。

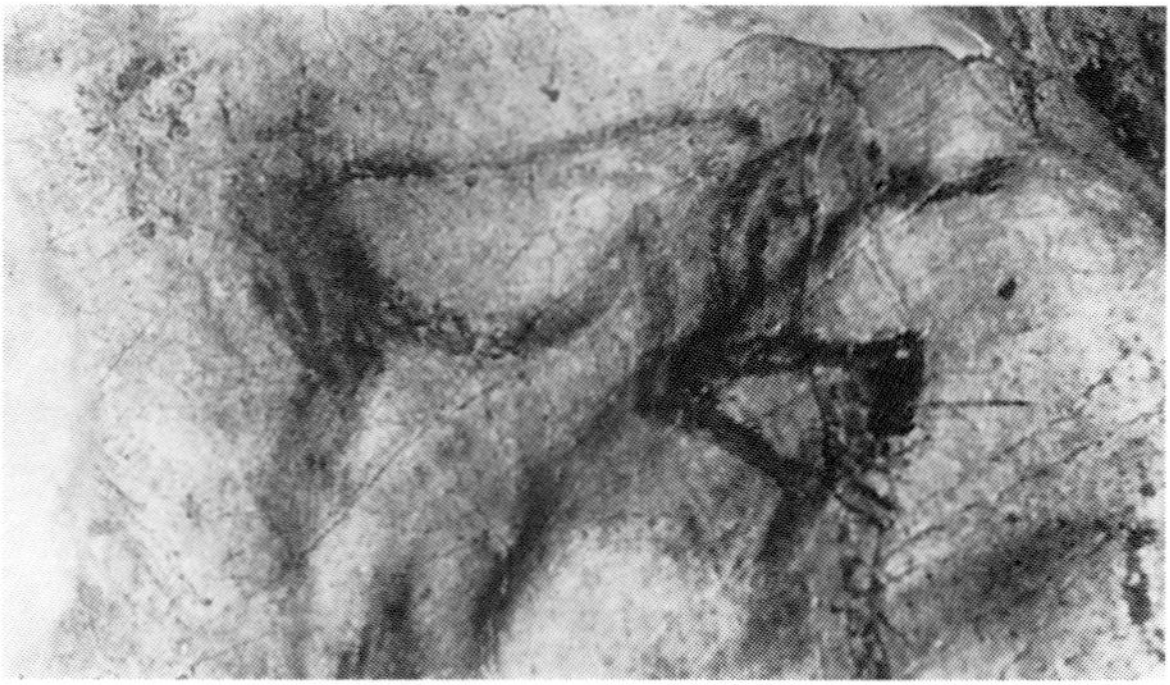

レ・トロワ・フレールの洞窟。〈聖所〉。角のある神。〔歪曲〕遠近法によって大いに変形された、近接像。

角のある神。H・ブルイユの直接的転写による模写。

人間が描かれた絵（イストゥリッツ〔ピレネー＝アトランティック県〕の洞窟の彫刻された骨）。古マドレーヌ文化期。

アヴェロン川〔正しくはヴェゼール川〕右岸の小村ラ・マドレーヌのヴィーナス像のひとつ。ヴェスペリーニによって1952年に発見された。「マドレーヌ文化期の最も傑出した彫刻」（H・ブルイユ）。

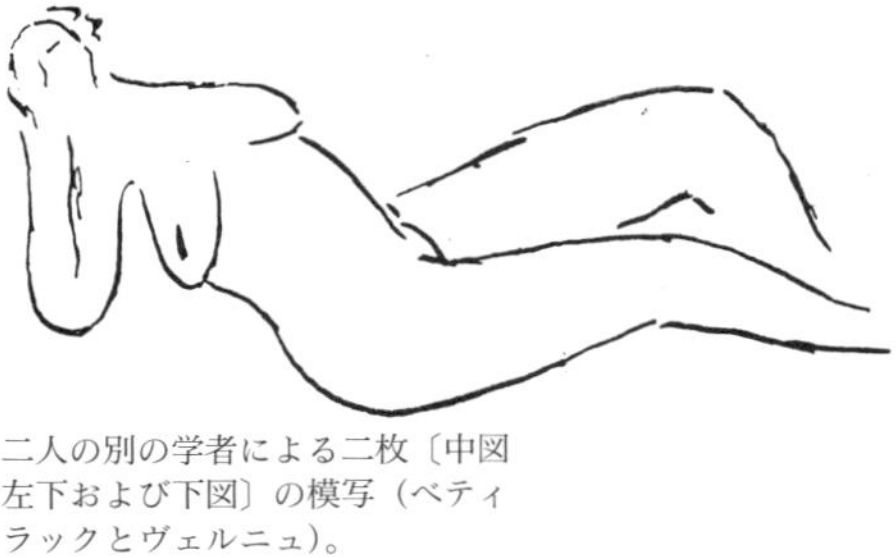

二人の別の学者による二枚〔中図左下および下図〕の模写（ベティラックとヴェルニュ）。

「ユダヤの砂漠のエロティックな小立像」（マル・カレイストゥンで発見された）。
旧石器時代末期。

2 二重に呪術的な洞窟

ネアンデルタール人の墳墓は、われわれにとって根本的な意味を持っている。それは、それらの墳墓が死の意識を表わしており、人間が死の中に落ち込むことがあり得たし、そこに落ち込まねばならなかったという悲劇的な事実の認識を表わしているということである。けれども、われわれが本能的な性活動からエロティシズムへの移行を確言することができるのは、後期旧石器時代人というわれわれの同類が現われた時代についてでしかない。それこそ、肉体的になんらわれわれに劣るところがなく、おそらくわれわれに似た心的能力を行使することができたとさえ推定すべき最初の人間なのである。(7) それどころか――反対に――このきわめて古い時代の人間が、われわれが時として《野生人》とか《原始人》とか呼ぶ人たちが表面的なものながらわれわれに対して持っている劣等性を持っていたことを証明するものはなにもないのだ(その時代の絵画は、知られている最も初期のものであるが、時には、われわれの美術館の傑作にも比すべきものではないか)。

ネアンデルタール人は、われわれの実状に対置してみると、まだ明らかな劣等性を持っていた。いかにも、彼らは、われわれのように（その先祖たちと同様に）直立の姿勢を持ってはいた。けれども、彼らは、まだ脚の上で少し屈んでいたし、また《人間らしく》歩きもしなかったのだ。彼らが地につけていたのは、足の外側の縁であって、足の裏ではなかった。彼らの額は低く、顎は突出し、その首は、われわれの首のように、かなり長くてほっそりとしてはいなかった。彼らは、猿や、総体としての哺乳類がそうであるように、毛で覆われていたと想像することが理にかなってさえいるのだ。

この古代的な人間の消滅について、われわれは概してなにも知らない。ただ、われわれの同類が、過渡的な時期なしに、ネアンデルタール人の占めていた地域に住んだということ、そして、例えばヴェゼールの谷その他の地域（フランスの南西部やスペインの北部の）において増加したということを知っているだけである。その地域では、彼らの素晴らしい才能の数多くの痕跡が発見されたのである。実際、芸術の誕生は、人間存在の肉体的な仕上がりに引き続いてやって来たのだ。

決定したのは、労働である。その効能によって知力が定まったところの労働なのである。けれども、人間の仕上がりは、その絶頂において、完成された人間的性質であって、それは、まずわれわれを開明しながら、ついには、現にあるがごときわれわれに、たんに効用的な労働の結果ではない陶酔や満足感を与えるに至ったものなのである。芸術作品がおずおずと現われて来たときには、労働は、何十万年も前から、人類の事実になっていた。結局、芸術作品が完成され、真の傑作において、労働が部分的に効用性の配慮への応答とは別のものになったとき、決定したのは、労働ではなくて、遊びなのだ。たしかに、人間というものは、本質的に、労働する動物である。けれども、人間はまた労働を遊びに変えることを知っているのだ。私は、そのことを芸術について（芸術の誕生について）強調したい。人間の遊び、真に人間的な遊びは、まず労働であった。つまり、遊びとなった労働だったのである。[8] 近づき難い洞窟を乱雑に飾っている見事な絵画の意味は、結局、どのようなものなのであろうか。これらの洞窟は、松明によって微かに照らされた薄暗い聖所であった。これらの絵画は、たしかに、それらが象っている獲物の動物たちの死を呪術的に執り行なうはずのものだったのだ。けれども、それらの動物的な美しさは、幻惑的なものであって、何千年もの忘却の後でも、依然として最初の意味を持っている。すなわち、魅惑や情熱という意味であり、驚嘆させられた遊びという意味、息を殺し、成功の渇望によって裏付けられた遊びという意味なのだ。

実際、この聖所＝洞窟の領域は、本質的に、遊びの領域である。洞窟の中において、第一の地位は狩りに与えられているのだが、それは、絵画の呪術的な価値の故であり、また、おそらく形象の美しさの故でもある。それらは、美しければ美しいほど、効果的なのであった。けれども、洞窟の濃密な雰囲気の中で、魅惑が、遊びの深い魅惑が、おそらく優位を占めたのである。そして、このような意味においてこそ、狩りの動物の姿と人間のエロティックな姿との結びつけを説明すべき理由があるのだ。そのような結びつけは、なんら偏見に属するものではないということに疑いの余地はない。偶然を持ち出す方が、まだしも道理にかなっているであろう。けれども、なによりも、これらの薄暗い洞窟が、実のところ、深い意味における遊びというもの——労働に対置され、魅惑に服従すること、情熱に応ずることを何よりも先に意味するものである遊び——に捧げられたということは事実なのである。ところで、概して、先史時代の洞窟の壁の上に彩色されたり素描されたりして人間の像が現われているところに導き入れられている情熱は、エロティシズムである。ラスコーの竪坑の死んだ男は言うまでもなく、これらの像の多くは、男性の場合ならば、立った性器を持っている。女性の像でさえも、明白に欲望を表現している。さらに、ローセルの岩の下にひそんでいる二体の図像は、公然たる性的結合を表わしている。これら初期の時代の自由は、楽園的な性格を示しているのだ。けだし、初歩的ではあるが、その単純さにおいて逞しかったその時代の文明は、戦争を知らなかったであろう。今日のエスキモーたちも、やはり白人がやって来るまでは戦争を知らなかったのであるが、彼らの文明は、戦争の本質的な効力を持っていない。それは、黎明期の崇高な効力を持っていないのだ。けれども、先史時代のドルドーニュ地方の気候は、今日のエスキモーたちが生活している北極地帯の気候に似ていたのである。そして、エスキモーたちの祭りの気分は、おそらく、われわれの遠い祖先だった人たちと無縁ではないのだ。エスキモーたちは、彼らの性的な自由に反対しようとした牧師たちに、これまで自分たちは囀る鳥の流儀にも似た仕方で自由に楽しく暮らしてきたと答えるのであった。おそらく、寒さは、われわれが当世風の安楽の境界の中で想像するほど、エロティシズムの営みに反するものではないのだ。エスキモーたちは、その証拠である。同様に、チベット高原の上でも、その極地的な気候はわれわれの知るところであるが、住民たちは、そのような営みに大いに耽っているのである。

おそらく、最初のエロティシズムの楽園的な様相が存在するのであって、われわれは、洞窟の中に、その素朴な痕跡を再発見するのだ。けれども、その様相は、それほど明瞭ではない。その子供っぽい素朴さに、すでにある種の重苦しさが対峙するということは確かなのである。

悲劇的……。しかも、いささかの疑いもなしに。

同時に、のっけから喜劇的。

それは、エロティシズムと死とが結びついているからである。

同時に、笑いと死、笑いとエロティシズムが結びついているからである……。

われわれは、すでに、ラスコーの洞窟の奥底において、死に結びついたエロティシズムを見た。

そこには、ある奇妙な啓示、ある根本的な啓示がある。けれども、それは、おそらく、それほど意味深長な神秘をまず単独で迎え入れる沈黙——理解し難い沈黙——によってわれわれが驚かされることのあり得ないような啓示なのだ。

この立った性器を持った死者が、鳥の顔を持っているだけに、すなわち、おそらく漠然と疑念の中において滑稽な様相がそこから浮き出て来るほどあどけない動物の顔を持っているだけに、その図像は、ますます異様なのである。

野牛からの、内臓をなくしつつ死に瀕している怪物からの、この勃起している死んだ男が死ぬ前に殺したらしい一種のミノタウロス[訳註2]からの近さ。

おそらく、これほど喜劇的な恐怖感で重苦しく、しかも概して理解不可能な図像は、世界中、ほかにないであろう。

それは、時代の黎明期に現われる滑稽な残虐さを伴った手に負えない謎なのである。この謎は、まさに、それを解くことが問題なのではない。けれども、それを解く手段がわれわれには欠如しているということが事実であるにせよ、われわれは逃げるわけにはいかない。いかにも、その謎は理解不可能ではあるが、少なくとも、それは、われわれに、その深みにおいて生きることを提案する。

それは、人間的に提起される最初の謎なのであって、エロティシズムと死によってわれわれの中に口を開く深淵の底に降りることをわれわれに要求するのだ。

なんらかの地下の画廊において偶然に見られる動物の図像の起源を怪しんでみた者は一人もいない。何千年も前から、先史時代の洞窟やそれらの絵画は、いわば消滅していたのである。つまり、絶対的な沈黙が永続化していたのだ。前世紀の末においても、なお、偶然によって日の目を見た洞窟絵画について、気の遠くなるような古さを想像したような人はいなかったであろう。今世紀の初頭において、はじめて、偉大な学者であったブルイユ神父の権威が、最初の人間たち——完全にわれわれの同類となった最初の人間たち——の手になるものでありながら広大な時間によってわれわれから隔てられているこれらの作品の真正さを世に認めさせたのである。

こんにち、解明は与えられたが、なお疑念の影が残っていないわけではない。絶えることのない訪問者の波が、こんにち、次から次へと徐々に無限の闇から現われ出るこれらの洞窟を活気づけている……。とくに、ラスコーの洞窟を活気づけているのだ。それこそ、最も美しく、最も豊かなものなのである……。

とはいえ、それは、すべての洞窟のなかで、部分的に謎めいたままであり続けているものである。

実際、この洞窟の最も深い窪み、最も深く、また最も近づき難い（とはいえ、こんにち、垂直の鉄梯子が、そこに近づくことを可能ならしめ、少なくとも同時に少数の人たちに可能ならしめているのだが、訪問者の全体はそれを知らないか、あるいは、せいぜい写真での複製によって知っているだけである）窪みにおいてこそ、つまり、きわめて近づき難いために、こんにち《竪坑》という名で呼ばれている窪みの底においてこそ、われわれは、最も感銘的で最も異様な喚起物を前にするのである。

どうやら死んでいるように見える一人の男が、脅威を与える不動の重々しい動物の前に、打ち倒されて、横たわっている。その動物は、野牛である――そして、その野牛が死に瀕しているだけに、そこから発する脅威はよけいに重大なのである。その野牛は傷ついており、その裂けた腹の下には、内臓がはみ出している。一見したところ、死にかけている動物を自分の投槍で射たのは、その男なのだ……。けれども、その男は、完全に人間なのではない。彼の顔は、鳥の顔であって、嘴で締め括りになっているのである。この全体の中で、その男が立った性器を持っているという逆説的な事実を正当づけるものは何もない。

この事実によって、場面はエロティックな性格を持っている。この性格は明白であって、はっきりと強調されているけれども、それは説明不可能なのだ。

そんなわけで、このほとんど近づき得ない窪みの中において、何千年も前から忘れられていたドラマが——漠然とではあるが——姿を現わす。それは、再出現するけれども、暗闇から出はしないのだ。それは、姿を現わすが、それにもかかわらず、ヴェールを被るのである。

まさに姿を現わす瞬間から、ヴェールを被るのだ……。

けれども、この閉ざされた深みの中で、ある逆説的な合致が確認される。それは、この近づき難い暗闇の中で認知されるものであるだけに、よけいに重大な合致である。この本質的で逆説的な合致とは、死とエロティシズムとの合致なのだ。

この真理は、おそらく、顕現するのをやめたことがない。とはいえ、それは、たとえ顕現するにせよ、見えなくされるのをやめることもないのである。そのようなものが、死の特性であると同時にエロティシズムの特性でもあるのだ。実際、双方とも、みずからを見えなくする。それらは、姿を現わすその瞬間に、姿を見えなくするのである……。

これ以上に晦渋で、思考の混乱を確実なものにするのに、これ以上よくできた矛盾を、われわれは想像することができなかった。それに、これ以上に、その混乱に好都合な場所を想像することができるであろうか。かつて居住されたことがないに違いなく、まさしく人間的な生活の初期の時代(9)に放棄されたに違いないものでさえあるこの洞窟の見失われた深み以上に……（われわれは、また、われわれの祖先たちがこの竪坑の深みの中をさ迷った時代に、なんとしてでもそこに到達しようとすれば、彼らは綱の助けを借りてそこに降りなければならなかったということも知っている……）。[10]

《竪坑の謎》は、たしかに、最も重大な謎の一つであると同時に、わが人類が人類自身に対して謎であることの中でも最も悲劇的なものである。それが出て来る元になっているきわめて遠い過去は、その謎が、まず顕著な過度の晦渋さを持った用語によって提起されるという事実を説き明かす。けれども、畢竟、入り込み難い晦渋さは、謎の基本的な効能である。この逆説的な原理を認めるならば、はなはだ異様で完璧な仕方で根本的な謎に答えるこの竪坑の謎は、この上なく遠い時代のものであり、遠い過去の人類が現在の人類に提起する謎であり、それ自体において、この上なく晦渋なものでありながら、同時に、この上なく多くの意味を帯びたものであり得るであろう。

その謎は、人間のこの世への到来、最初の出現という、人間自身の目から見て最初の神秘であるものの結果として、重大なのではなかろうか。それは、同時に、この神秘を、エロティシズムと死とに結びつけるのではなかろうか。

本質的であると同時に、この上なく激しいかたちで提起される謎を、よく知られているけれども人間の構造の故に概して隠蔽されているような文脈から独立に導き入れるのは空しいということは、真理である。

そのような文脈は、人間の精神が自分の姿を見えなくするかぎりにおいて、隠蔽されたままである。

すなわち、私の言い方によれば《可能性の極点》であるところの、いわば近づき難い底において、目も眩まんばかりに姿を現わす対立を前にして、隠蔽されているのだ……。

とりわけ、以下に挙げるものが、そのような具合なのである。

笑うことのない猿の威厳の無さ……。

《腹を丸出しにして》の笑いに揺り動かされる人間の威厳……。

悲劇性——死によって基礎づけられる——と官能的悦楽や笑いとの共犯関係……。

前足を立て尻をおろして座る動物の姿と直立の姿勢——そして、尻の穴——との内密な対立……。

註

（1）サピエンスという形容詞は、正確には、知識を備えているという意味である。けれども、道具が、それを作る者の側に、その目的についての知識を予想しているということは、明らかである。正確には、この道具の目的についての知識は、あらゆる知識の基盤である。他方、死についての知識は、その基礎づけによって感受性がはたらき出すのであり、その故に、たんなる論弁的知識とは明確に区別されるものであるが、やはり、知識の人間的発展の中で、一階程を刻すのである。ところで、死についての知識は、道具についての知識より遥かに後のものであるが、だからといって、先史学においてホモ・サピエンスという名称で呼ばれているものの到来に先立つことに変わりはない。

（2）G・バタイユ『ラスコーあるいは芸術の誕生』一九五五年

(3)H・キルヒナー『シャーマニズム先史学論集』一九五二年
(4)その解釈は、また、後期旧石器時代の人間たちは、結局、近代のシベリア人と、それほど変わらないということを強調している。けれども、その比較の明確化は脆弱であって、ほとんど支持できない。
(5)G・バタイユ『エロティシズム』一九五七年
(6)少なくとも、多量のインクを費やさせたという意味で有名。
(7)概して、後期旧石器時代の子供がわれわれの学校で育てられれば、われわれと同じ水準に達することができたであろう。
(8)私は、本書の限界内において、労働の当初の決定的な性格を、これ以上、明らかにすることはできない。
(9)紀元前約一五〇〇〇年。
(10)ラスコーにおいても、綱の切れ端が洞窟の中で発見された。
(訳註1)一八七七〜一九六一年。フランスの先史学者。とくに旧石器時代の芸術を研究した。

(訳註2)ギリシャ神話に出る牛頭人身の怪物。

第二部　終わり——古代から現代へ

ディオニュソスとバッケー〔酒神ディオニュソス＝バッカスの巫女〕（部分）。
紀元前五世紀中葉の赤い人物像が描かれた広口の壺。（107頁参照）
ルーヴル美術館

I　ディオニュソスあるいは古代

1　戦争の誕生

われわれがエロスという名を結びつける熱狂は、実に頻繁に、悲劇的な意味を持っている。その様相は、とくに竪坑の場面において顕著である。けれども、戦争も奴隷制も、完成された人類の初期の時代に結びついてはいないのだ。

後期旧石器時代の終末より前には、戦争というものは知られていなかったように思われる。人間たちが殺し合う戦闘の最初の証言が見られるに至るのは、この時代から――あるいは、中石器時代(1)という名で呼ばれる中間の時代から――にすぎないのである。スペインのレヴァンテ地方の岩窟の壁面に描かれた一つの絵画は、極度の緊張を持った射手たちの戦闘を表わしている(2)。その絵画は、どうやら、われわれより一万年ほど前のものと思われる。ただ、その頃から、人間の社会は戦争の実行に耽ることをやめなかったのだということだけを付け加えておこう。とはいえ、われわれは、旧石器時代において、殺人が、つまり個人的な人殺しが、知られていなかったわけではないと考えることはできる。しかし、だからといって、たがいに絶滅し合うことに努める武装した集団どうしの対立は、問題外であった（現代でもなお、個人的な殺人は、例外的ながら、旧石器時代の人間たちと同様に戦争に無縁なエスキモーたちの事実であった。ところで、エスキモーたちは、フランスにおいてわれわれの絵画洞窟の人間たちが暮らした地方の風土に総じて比較できる寒い風土の中で暮らしているのだ）。

初期の時代から、すでに原始的な戦争がある集団を他の集団に対立させたという事実があるにもかかわらず、われわれは、そのような戦争が最初から組織的な仕方で遂行されたのではないと考えることができる。しかも、現代にも再現している原始的な戦争のかたちによって判断するならば、原初においては、見つけるべき物質的な利益が問題であったはずはないのだ。

勝利者たちは、敗北者たちを絶滅するのであった。彼らは、戦闘に引き続いて、生き残った敵、すなわち捕虜や女たちを殺戮するのであった。けれども、おそらく、両性の年少の子供たちは勝利者たちの養子となったはずであり、戦争が終わると、勝利者たちは、彼らを自分たち自身の子供たちと同等に扱ったはずである。現代の原始人たちの慣行に接するかぎりにおいてわれわれの考えることができるところでは、戦争の唯一の物質的利益は、勝利を収めた集団の後日における増大なのであった。

2 奴隷制と売春

勝利者たちが、奴隷制の中に押し込めることによって捕虜を利用する可能性に気がついたのは、ずっと後――この変化の時期について、われわれは何も知らないが――のことである。労働力の増大と集団の存続に必要な努力の減少との可能性は、急速に評価された。このようにして、新石器時代に発達した牧畜と農業は、労働力の増加の恩恵をこうむり、また労働力の増加は戦士たちの相対的な閑暇を可能にしたのだ。そして、彼らの頭目たちの全面的な閑暇を……。

戦争と奴隷制の到来に至るまで、萌芽的な文明は、本質的に平等な自由人たちの活動の上に安住していた。ところが、奴隷制が戦争から生まれた。奴隷制は、対立する階級への社会の分割という方向にはたらいた。戦争と奴隷制によって、まず自分たちの命をさらし、つぎに自分たちの同類の命をさらすというだけの条件のもとに、戦士たちは大きな富を手中にしたのである。エロティシズムの誕生は、自由人と奴隷への人類の分割に先立った。けれども、部分的には、エロティックな快楽は、社会的身分や富の所有に左右されたのだ。

原始的な状況の中では、そのような快楽は、男の肉体的な逞しさや知力の魅力から、女の美しさや若さから結果するのであった。女にとっては、自分たちの美しさや若さは、決定的なものであり続けていたのだ。ところが、戦争と奴隷制から派生した社会は、特権の重要性を増大させた。

特権によって、エロティシズムは個人的な力や富に左右されるようになり、結局、虚偽に捧げられることになって、売春がエロティシズムの正常な道となった。われわれは、その点を間違えてはならない。先史時代から古典的な古代へと、性生活は、戦争と奴隷制という事実によって道を踏みはずし、硬直をきたしたのである。結婚が、必要な生殖の役割を保存した。この役割は、男性たちの自由が最初から彼らを家から遠ざける傾向を持っただけに、よけいに重大なものになったのだ。ついに、現代において、人類が因習から解放されつつあるとしても、それはまだほんの僅かにすぎない……。

3 労働の優位性

ついに、肝要な事実が明らかになる。すなわち、旧石器時代の悲惨な状態から出たとき、人類は初期の時代に知られていなかったに違いないいくつかの悪に遭遇したのだ。どうやら、戦争の実行は、新しい時代の初頭から始まる。この問題について、われわれは、非常にはっきりしたことはなにも知らない(3)。けれども、戦争の登場は、概して、物質的文明の退歩を刻したに違いない。後期旧石器時代の動物芸術――二万年ばかり続いた――は、消滅した。少なくとも、フランス‐カンタブリア地域からは姿を消したのだ(4)。どこでも、それほど美しく、それほど偉大な何物も、その後を継がなかった。少なくとも、われわれに知られている何物も……。

人間の生活は、当初の素朴さから出て、戦争という呪われた道を選んだ。破滅的な戦争の、荒廃的な結果を持つ戦争の、奴隷制へと導き、さらに加えて、売春へと導く(5)戦争の道を……。

すでに十九世紀の初年ごろに、ヘーゲルが示そうと試みたように、奴隷制から派生した戦争の影響には、有益な面もあった(6)。ヘーゲルによるならば、現在の人間は、初期の時代の戦士貴族階級と、ほとんど共通点を持たないことになるのだ。現在の人間は、概して、労働者である。金持ち、そして一般的にいえば支配階級にしたところで、やはり働いている。彼らは、少なくとも、適度には働いているのだ……。

ともかく、戦士ではなくて、奴隷こそが、その労働によって世界を変えたのであり、奴隷こそが、その本質において、労働によって変えられたのだ。奴隷が、真に文明の富の唯一の創造者となったのに応じて、労働が奴隷を変えたわけである。とくに、知性や学問は、奴隷が、まず主人の命令に応ずるために働くにあたって、強いられた努力の結実なのだ。そんなわけで、労働が人間を生み出したといわねばならない。働かない者、働くことを恥とする考えに支配されている者、すなわち旧制度の富裕な貴族階級や現代の年金生活者は、遺物にすぎないのである。現在の世界が享有している産業的な富は、すでに新石器時代から奴隷や労働者たちが形成していた隷属的な民衆、不幸な大衆の千年にわたる労働の結果なのだ。

爾来、労働が世の中において、事を決する。戦争にしても、まずなによりも、産業的な問題、産業によってのみ決せられる問題を提起するのである。

けれども、戦争から自分の力を引き出していた閑な支配階級が、現在の失墜に至る前に、その閑暇は、その階級から、その重要性の一部を取り去る傾向を持った（ついには、労働という厄介な努力、面倒な努力を他人にまわす者には誰にでも、まことの呪いがつきまとう）。いたるところにおいて、貴族は、かなり急速に、おのずから凋落へと向かうのだ。これは、十四世紀に、あるチュニジアのアラブ人の著作家が書き表わした法則である。イブン・カルドゥン[訳註1]に言わせると、勝利者たちは、都会生活に耽ることによって、いつの日にか、より厳しい生活のせいで戦争の要求する諸事情の水準に維持されていた流浪者たちに打ち負かされてしまったのだ。けれども、われわれは、この原理を、もっと広い領域に適用しなければならない。一般的な規則として、富の使用は、ついには、より貧しい人々に、より大きな力を与えるのである。最も富んだ人々が、まず、物質的な資産の優越性を持つ。ローマ人たちは、長い間、軍事的技術が彼らにもたらす優位という事実によってその支配を維持したのだ。けれども、蛮族の側の戦争へのより大きな素質、そして、ローマ人における兵士の数の限定という事実によって、この優位の弱まる日が来たのである。

しかし、戦争の中でものをいう軍事的優越性は、当初においてしか意味を持たなかった。永続的な優位によって安定した一定の物質的文明の境界内においては、恵まれない階級が、おのれの物質的な力にもかかわらず特権階級に欠けている精神的な逞しさの恩恵をこうむるのだ。

いまや、われわれは、エロティシズムの問題に取り組まねばならない。それは、たしかに、第二次的な重要性をしか持っていないのであるが……、しかし、古代においては、重大な地位、現代では失ってしまった地位を手に入れたのである。

4　宗教的エロティシズムの発展における下層階級の役割

古代において、エロティシズムが意味を持ったからといって、それが人間の生活の中で役割を持ったからといって、この役割を演じたのは、かならずしも貴族たち――すなわち、その時代において、富の特権を手に入れることができた人々(7)――だったわけではない。目につかないところで事を決したのは、なによりもまず、無一物の人々の宗教的興奮なのであった。

たしかに、富はものをいった。安定した形態に関する事柄においては……。すなわち、結婚や売春が、女の所有を金銭によって左右されるようにする傾向を生み出しつつあったのである。けれども、私は、古代のエロティシズムについてのこの概観において、まず宗教的エロティシズム、とりわけディオニュソスの痛飲乱舞的宗教を取り扱わねばならない。ディオニュソス信仰の境界内においては、原則として、金銭はものをいわないか、あるいは第二番目にしかものをいわない（体の中における病気のように）のであった。ディオニュソスの痛飲乱舞の宴に参加した人々は、しばしば無一物の人々であり、時としては奴隷でさえあった。時と所に応じて、社会的階級や富は異なったのである……（われわれは、総体的には、わずかに、その消息に通じている。けれども、けっして正確に通じているわけではない）。

われわれは、統一を得たとは思われない無秩序な活動が一般的に持った重要性について、正確なことは、けっしてなにも言うことができない。統一されたディオニュソス教会は存在しなかったのであり、したがって、祭式は時と所に応じて異なった。しかも、われわれは、不確実性においてしか、それらを知ることがけっしてないのである。誰も、後世の人に情報を与えようという気を起こさなかった。望ましい正確さをもって、それを行なうことは、誰にもできないことでさえあったであろう。

わずかに、われわれに言えることは、おそらく、少なくとも帝国の初期の数世紀より前には、宗派の中において、恵まれた貴族たちは重要な役割を持たなかったということである。

当初、ギリシャにおいては、どうやら、バッカス祭の執行は、逆に、享楽的なエロティシズムの乗り越えという意味を持ったようである。ディオニュソス的な実践は、まず、強烈に宗教的なものだったのであり、まず、灼熱的な動き、破滅的な動きなのであった。けれども、その動きは、総体的には、あまりにも知られていないので、ギリシャ演劇とディオニュソス信仰との結びつきを明確化することは困難なのである。われわれは、悲劇の起源が、なんらかの仕方で、この強烈な信仰に結びついているようにみえるとしても、驚くわけにはいかない。本質的には、ディオニュソス信仰は、悲劇的なものであった。それは、また同時に、エロティックでもあった。熱狂的な無秩序の中においてエロティックだったのであるが、ディオニュソス信仰は、エロティックであったのに応じて悲劇的であったのだということを、われわれは知っている……。しかも、なによりもまず、それは悲劇的であった。そして、まさに、この悲劇的な戦慄の中へと、その信仰を入り込ませることを、エロティシズムがなし遂げたのだ。

5　エロティックな笑いから禁止へ

エロティシズムのことを考えるやいなや、人間の精神は、おのれの根源的な難題に直面する。

ある意味において、エロティシズムは、滑稽である。

エロティックな仄めかしは、つねに皮肉を呼び覚ます能力を持っている。

エロスの涙について語ることにおいてさえも、私は笑いを招くかもしれないということが、私にはわかっているのだ……。だからといって、エロスが悲劇的であることに変わりはない。なんということか。エロスは、なによりもまず、悲劇的な神なのである。

周知のとおり、古代人たちのエロスは、子供っぽい姿を持つことができた。彼は、年少の子供の姿をしていたのだ。

けれども、愛というものは、笑いを招くだけに、畢竟、ますます悲痛なのではなかろうか。

エロティシズムの土台は、性活動である。ところで、この活動は、禁止の攻撃のもとに倒れる。愛の行為をすることは、とんでもない！　のであり、禁止されるのだ！　ひそかに行なうのでないかぎり……。

けれども、もしも、ひそかにわれわれがそれを行なうならば、禁止は、美化を施し、おのれの禁止するものを、不気味(8)であると同時に神々しい微光によって、照らすのである。つまり、要するに、宗教的な微光によって照らすわけなのだ。

禁止は、おのれ自身の価値を、おのれが攻撃を加える相手に与える。しばしば、私は、ちょうど排除しようという意図を捉える瞬間に、まさしく逆に、陰険にも挑発されたのではなかろうかと自問することがあるのだ！

禁止は、おのれが攻撃を加える相手に、禁止される行動がそれ自身において持っていなかった意味を与える。禁止は、侵犯へと引き込むのであって、その侵犯なしには、われわれを誘惑する悪い微光を持たなかったであろう……。まさに禁止の侵犯こそが、呪縛をかけるのである……。

けれども、この微光は、たんにエロティシズムが放つ微光なのではない。それは、完璧の強烈さ、死が犠牲者の喉を切り裂く——そして、生を終わりにする——瞬間にはたらく強烈さが行動し始めるたびごとに、宗教的な生命を照らすのだ。

聖なるものよ！

この言葉の音節は、あらかじめ、苦悩を背負い込んでおり、そこに背負い込まれている重みは、供犠における死の重みなのだ……。

われわれの生は、そっくり、死を背負い込んでいる……。

けれども、私の中で、窮極的な死は、異様な勝利の意味を持つ。それは、私をその微光に浴させ、私の中において、無限に陽気な笑い、すなわち消亡の笑いを開くのだ！

……。

…………………………………………………………………………

もしも、私が、これらいくつかの文章において、死が存在を破壊する瞬間の中に閉じこもらなかったならば、私は、かの《小さな死》について語ることができるであろうか。その《小さな死》においては、私は、本当に死ぬことなしに、大勝利の感情に崩れ落ちることになるのだ！

6　悲劇的エロティシズム

エロティシズムの中には、結局、われわれが初めに認めるに至った以上のことがある。こんにちでは、エロティシズムが、錯乱の世界であり、その清純な形態をはるかに越えて、地獄的な深さを持つものであるということに、誰も気がついていない。

私は、死とエロティシズムとの結びつきを主張するものである私の提起する概観に、叙情的なかたちを与えた。けれども、私は、それに固執する。それというのも、もしも険阻な深さにおいてわれわれに与えられるならば、エロティシズムの意味はわれわれから逃れ去るからである。エロティシズムは、まず第一に、この上なく感動的な現実であるが、しかし、だからといって、同時に、この上なく下劣なものであることに変わりはないのだ。精神分析学の登場以後においてさえも、エロティシズムの矛盾的な様相は、いわば無数に現われている。それらの深みは宗教的なのであって、その深みは恐るべきものであり、悲劇的なものであり、なお口に出せないものなのだ。おそらく、それが神々しいものであるだけに、よけいに……。

人間たちをその総体へと限定するような単純化された現実と比べてみると、これは恐るべき迷宮であって、そこで道に迷う者は、戦慄しなければならない。エロティシズムの真実に近づく唯一の手段、それは、戦慄なのだ……。

ラスコーの洞窟の竪坑の中に埋もれた画像に自分たちの興奮を結びつけていた先史時代の人間たちは、それを知っていた。

自分たち自身の子供の代わりに生きた仔山羊を歯で引き裂いて貪り食う巫女たちという考えに自分たちの興奮を結びつけることができたディオニュソスの宗徒たちも、それを知ったのである(9)……。

男根の形をした記念碑。ディオ
ニュソスの小聖所（デロス）

バッケーと勃起した男根を持つ人物像（マケドニアの貨幣、紀元前五世紀）
〔パリ〕、国立図書館、古銭陳列室

勃起した男根をもつ人物とバッケー
（マケドニア）
〔パリ〕、国立図書館、古銭陳列室

紀元前六世紀の両耳付きの壺の部分。コリントス。
ブリュッセル、王立美術館

サテュロスとバッケー（紀元前六世紀のギリシャの壺の部分）
コペンハーゲン、国立博物館

エピクテトスの紀元前六世紀の水瓶の部分
ルーヴル美術館

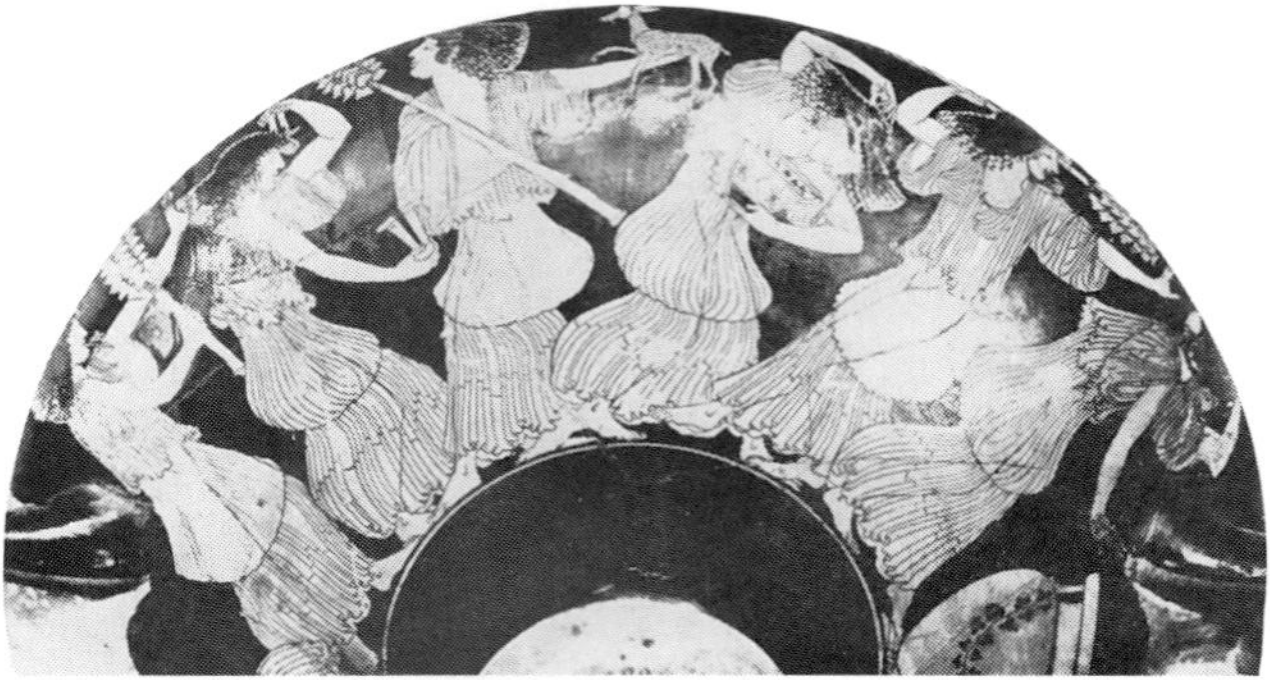

踊るバッケーたち。陶工マクロンと画家ヒエロンの署名のある盃（紀元前490〜480年）。 ベルリン、国立絵画館

バッケーとシレノス〔サテュロスと同様にディオニュソスの従者で、老いた山野の精〕。ヒエロンの署名のある盃の内側。 ミュンヘン、古代工芸博物館

バッケーとシレノス
ルーヴル美術館

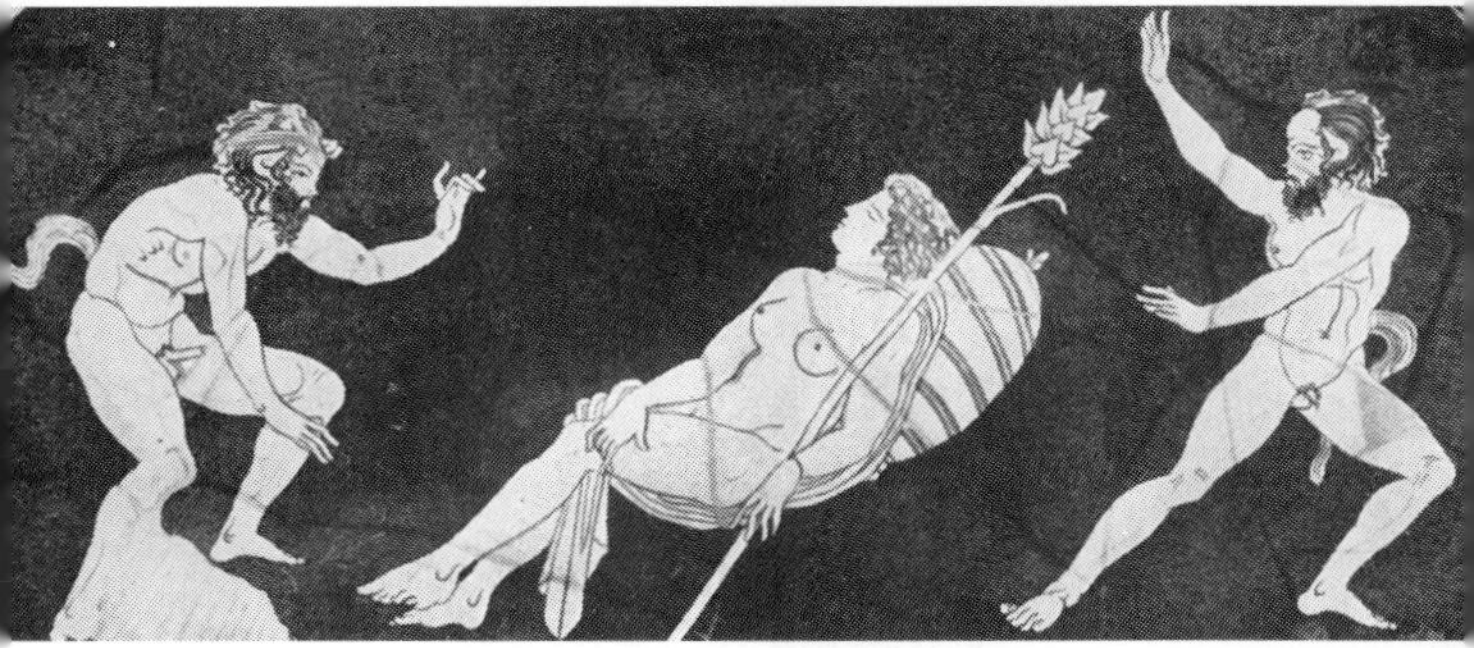

サテュロスとバッケー。紀元前五
世紀、ギリシャの壺の部分。
ボストン美術館

サテュロスとバッケー。ヒエロン
の署名のある盃。
ルーヴル美術館

トランス状態になったバッケー。紀元前五世紀の両耳付きの壺。
ミュンヘン、〔古代工芸博物館〕

バッケー（クレオフラデスの作とされる両耳付きの壺〔右図〕の部分)。紀元前500年。 ミュンヘン、〔古代工芸博物館〕

バッケーと勃起した男根を持つ人物像（紀元前五世紀)

プリアーポス〔生殖と豊穣の神〕の凱旋。フランチェスコ・サルヴィアーティ（1510〜1563）の後期ルネサンスの複製版画。

パーン〔アルカディアの牧人と家畜の神〕。
紀元前五世紀のギリシャの壺。ロンドン

エトルリアの壺（紀元
前四、五世紀）［複製］
ウィーン、性研究所

ティムガドの古代ローマ時代のモザイク画

半獣神とバッカスの巫女（アンカルヴィル〔ピエール＝フランソワ・ユーグ（1719〜1805)。フランスの古美術研究家〕のために刻まれた銅版画による）

ポンペイの〈秘儀の館〉の客間〔秘儀の間〕。ディオニュソスの壁画。一世紀。「ポンペイの〈秘儀の館〉の美しい絵画は、われわれが、洗練された儀式が一世紀において到達した華麗さを想像することができるようにしてくれる。」(112頁)

〔「秘儀の間」の南壁。踊っているのはバッケー。〕

〈男根〉〔ミュスティカ・ウァンヌス〕の開示〔「秘儀の間」の東壁〕

二輪馬車で運ばれるプリアーポスの凱旋。カーネリアンの石に刻まれている。
アンカルヴィル〔103頁参照〕

7 侵犯と祭りの神ディオニュソス

ここで、私は、エロティシズムの宗教的意味について、説明したい。エロティシズムの意味は、その宗教的意味を見ない誰の手からも逃れ去るのだ！おあいこで、総体としての宗教の意味は、それがエロティシズムに対して現わしている結びつきを無視する誰の手からも逃れ去る。

私は、まず最初に、宗教について、その原理、その起源に応ずると私が考えるイメージを与えることに努めることにする。(10)

宗教の本質の中には、罪のある行為、正確にいえば、禁じられている行為を、他の行為に対置するということがある。

宗教的な禁止は、原則として、一定の行為を排除するのであるが、しかし、同時に、それは、おのれの排除するものに価値を与えることがあり得るのだ。さらに、時としては、禁止を凌辱し、それを侵犯することが可能であったり、あるいは、それを命じられたりさえするのである。けれども、なによりもまず、禁止は、おのれの拒否するものについて、価値を――概して、危険な価値を――命令するのだ。大雑把にいえば、この価値は、『創世記』第一章の《禁断の木の実》である。

この価値は、祭りの中でも、また見出される。祭りの途中においては、通常は排撃されていることが許される――要求されさえする――のだ。祭りの時における侵犯は、まさしく、祭りに素晴らしい様相、神々しい様相を与えるものなのである。神々の中でも、ディオニュソスは、本質的に祭りに結びついている。ディオニュソスは、祭りの神、宗教的侵犯の神なのだ。ディオニュソスは、葡萄と酩酊の神として挙げられることがはなはだ多い。ディオニュソスは、陶酔の神であり、狂気を神的な本質とする神なのである。けれども、まずもって、狂気そのものが、神的な本質なのだ。神的な、すなわち、ここでは、理性の規則を拒否する本質というわけである。

われわれは、宗教を法律に結びつけ、理性に結びつける習慣を持っている。けれども、もしもわれわれが総体において宗教の土台をなしているものに拠るならば、われわれはこの原理を排棄しなければならない。

宗教というものは、おそらく、基盤においてさえ、壊乱的なものなのである。それは、法律の遵守から外れさせる。少なくとも、それが命ずるものは、過度なことであり、供犠であり、祭りであって、恍惚こそが、それらの絶頂をなすのだ。(11)

8 ディオニュソス的世界

宗教的エロティシズムについて際立ったイメージを与えようとして、私は、極度の複雑さを持った考察へと導かれていた。エロティシズムと宗教との関連という問題は、今日の生きている宗教が、一般に、それらの関連を否定したり排除したりしているだけに、よけいに重大である。宗教はエロティシズムを断罪すると主張することは陳腐である。実は、本質的には、エロティシズムは、その起源においては、宗教的な生活に結合されていたのだ。われわれの現代文明の個人化されたエロティシズムは、この個人的な性格の故に、もはや、それを宗教と一体化させるものを――エロティシズムの混乱の宗教的な意味に反対する終局的断罪のほかには――なにも持っていない。(12)

とはいえ、その断罪は、宗教の歴史の中に書き込まれている。それは、否定的にではあるが、そこに姿を見せるのだ。私は、ここから先を、括弧の中に入れる。私の主張が結びつく展開を別の著作にまわす（避け難い哲学的性格という事実によって）ことを余儀なくされるからである。実際、私は人間の生活の決定的な瞬間に到達するに至るのだ。宗教からエロティシズムを排棄することによって、人間は、宗教を効用主義的な道徳に追いやってしまった。エロティシズムは、その聖なる性格を失って、下劣なものになったのだ……。

私は、さしあたっては、ディオニュソス信仰についての総体的な考察から、かなり永続的な諸々の宗礼[13]についてのわれわれが知っていることの手短かな叙述に移ることにとどめるつもりである。それらの宗礼は、宗教的エロティシズムに、その最も注意に値する形態を与えたものなのだ。

たしかに、これは、その本質において、たんに神話的あるいは典礼的な存在から始まる憑依の存続に関する事柄である。ディオニュソスは、侵犯と祭りの神であった。また同時に、すでに述べたとおり、陶酔と狂気の神であった。酩酊、痛飲乱舞、エロティシズムは、深みにおける眩暈によって顔立ちを解消されている神の、補足できる様相なのだ。なるほど、この酩酊の姿より溯れば、われわれは、きわめて古い時代の農業神を見つける。この姿は、その最も古い時代の様相において、農民の生活に結びついた農地に関する物質的な関心へと、われわれを送り返すのである。けれども、田園労働者としての心遣いは、いちはやく、酩酊と狂気の混乱に対して優位を占めることをやめる。ディオニュソスは、元来は、酒の神ではなかったのだ……。葡萄の栽培は、ギリシャにおいて、紀元前六世紀には、まもなく獲得したような重要性を持っていなかったのである……。

ディオニュソス的な狂気は、たしかに、それ自体、その犠牲者たちの利害を留保した制限つきの狂気であった。死がその結末となることは、稀にしかなかったのである……。巫女たちの熱狂は、生きた子供、自分たち自身の子供を引き裂くことのみが、その混乱に応ずるものであるように思われたほどの段階に達した。いかにも、われわれは、そのような過度のことが実際に典礼の中に導入されたと主張することはできないであろう。けれども、自分たちの子供の代わりに、熱狂した巫女たちは、仔山羊——その断末魔の叫び声が嬰児の泣き声とほとんど異ならない仔山羊[14]——を引き裂いて貪り食ったのである。

けれども、われわれは、バッカス祭の狂乱を知っているにせよ、それが受け取った発展についてては、正確なことをなにも知らないのである。ほかの要素が、それに加わったはずなのだ。トラキアの貨幣に描かれている図像は、われわれが、痛飲乱舞への移行の方向の中で支配した混乱を想像するのを助けてくれる。これらの貨幣は、バッカス祭の、きわめて古い時代の一つの様相を表わしているにすぎない。引き続く諸世紀の水瓶に描かれた図像は、われわれが、放縦を主要なものとしていたこれらの典礼の実態を見るのを助けてくれる。また一方、そのような図像は、われわれが、原初の非人間的な強烈さが消滅して行った発展を把握するのを助けてくれる。ポンペイの〈秘儀の館〉の美しい絵画は、われわれが、洗練された儀式が一世紀において到達した華麗さを想像することができるようにしてくれる。われわれは、ティトゥス・リヴィウスの伝えた紀元一八六年の血腥い弾圧のことを知っているが、それは、民衆を意気阻壊させる異国的な影響に逆らうことを目的とする政治行動を支えるものとして役立った疑問の余地ある非難を根拠づけるものである（イタリアにおいて、ディオニュソス信仰は、ラテンのディオニュソスたるリーベル神に反して、東方的な輸入物という意味を持ったのである）。タキトゥスの論説やペトロニウスの物語は、われわれに、ディオニュソス教の宗礼が、少なくとも部分的には、卑俗な放埒に退化したと信じさせる。

一方において、ローマ帝国の初期の世紀には、ディオニュソス教の人気はたいへんなもので、キリスト教の危険な競争者と見られることもあり得たほどであったということを、われわれは知っているつもりである。他方において、穏健化したディオニュソス教、良識的なディオニュソス教の後の時代における存在は、混同の怖れが、ディオニュソスの信者たちを、初期の時代の激烈さに反対することへと引き込んだということを示しているように思われるのだ。

II キリスト教の時代

1 キリスト教的断罪から病的興奮へ（あるいはキリスト教から悪魔主義へ）

エロティシズムの歴史の中で、キリスト教が持った役割は、エロティシズムを断罪するということであった。キリスト教は、世界を支配するにつれて、世界をエロティシズムから解放しようと試みた。

けれども、終局的な結果を取り出そうとすると、われわれは明らかに困惑する。キリスト教は、ある意味において、労働の世界に好都合なものであった。それは、享楽の犠牲において、労働を価値づけた。なるほど、キリスト教は、楽園を即時的な——永遠であると同時に——満足の王国にした……。けれども、まずもって、それを努力の最終の結果としたのである。キリスト教は、ある意味では、努力から——まず、古代世界の努力から――由来すべき結果を労働の世界の序曲とする連結線なのだ。

われわれのすでに見たとおり、古代世界の内部においても、宗教の目的は、日増しに、あの世の生活となって行った。すなわち、最終の結果に至高の価値を与え、瞬間からこの価値を取り去ったのであった。けれども、キリスト教は、固執した。それは、もはや、瞬間の享楽に、最終の結果に対する罪科という意味をしか残さなかったのである。キリスト教的な観点においては、エロティシズムは、終局的な結果を危うくし、少なくとも、それを遅らせた。

けれども、このような傾向には、その引替物があった。まさに、この断罪によってこそ、キリスト教自身が、熱烈な価値に到達したのだ。

このようにして、キリスト教は、悪魔主義の中へと赴いた。悪魔主義は、キリスト教の否定であるために、キリスト教が真実に見えるに応じて、意味を持った（しかしながら、結局、キリスト教の否定は、忘却の追求に合致した）。

悪魔主義は、ある役割を持った――とくに、中世の終わり頃、および、その後に――

けれども、その起源のせいで、それには将来性がないのであった。エロティシズムは、必然的に、この惨事に結びつけられた。宿命的にも、悪魔主義は、魔王を犠牲者とする呪いから発して、こんどは、その信徒たちを、魔王に襲いかかる不幸に捧げるに至ったのだ。なるほど、間違いの可能性はあった。すなわち、悪鬼は幸運を与える能力を持っているように見えていたのである。けれども、そのような外見は、結局、当てにならないものであった。異端審問が、誤りを悟らせる力を持ったのだ……。

幸運は、それがなくてはエロティシズムがその反対物たる不幸を結果として持つことが避け難いものであったので、便法としてしか追求され得なかった。けれども、便法を用いることによって、エロティシズムは、その偉大さを失ったのである。それは、欺瞞に帰着してしまったのだ。ついには、エロティシズムの欺瞞は、その本質と見えるようになった。ディオニュソス的エロティシズムは、ひとつの肯定――あらゆるエロティシズムと同様に、部分的にはサド的な――だったのだが、この相対的な欺瞞の中では、肯定は、便法を用いながら進んだのである。(15)

バルトロメウス・スプランゲル〔1546〜1611〕『最後の審判』(部分)　トリノ
バルトロメウス・スプランゲルは、マニエリスムであるとはいえ、ティエリー〔ディーリック〕・バウツやファン・デル・ウェイデンと同様に、裸体を描くために「最後の審判」をも利用した。

ティエリー〔ディーリック〕・バウツ（1400～1475）『地獄』（部分）
ルーヴル美術館

ファン・デル・ウェイデン
〔1399/1400～1464〕
『最後の審判』(部分)
ボーヌ施療院

中世が裸体を描いたのは、それに対する憎悪感を与えるためであった。フランドル人のティエリー・バウツの描く女の裸体は、嫌悪の情を催させずに、地獄の責め苦の恐怖を具現している。ヴェネチアで、ひとりの画家が同じく裸体を描いている。それは、聖ゲオルギウスによって打ち倒された竜の犠牲者たちの死骸を描写するためであった〔次頁〕。ファン・デル・ウェイデンは、ティエリー・バウツが地獄に置いた裸体を「最後の審判」の恐怖に結びつけた。後のスプランゲルも同様である(117頁)。

〔ヴィットーレ・〕カルパッチョ〔1460/65〜1525/26〕『聖ゲオルギウスと竜』(部分)
ヴェネツィア、サン・ジョルジオ同信会

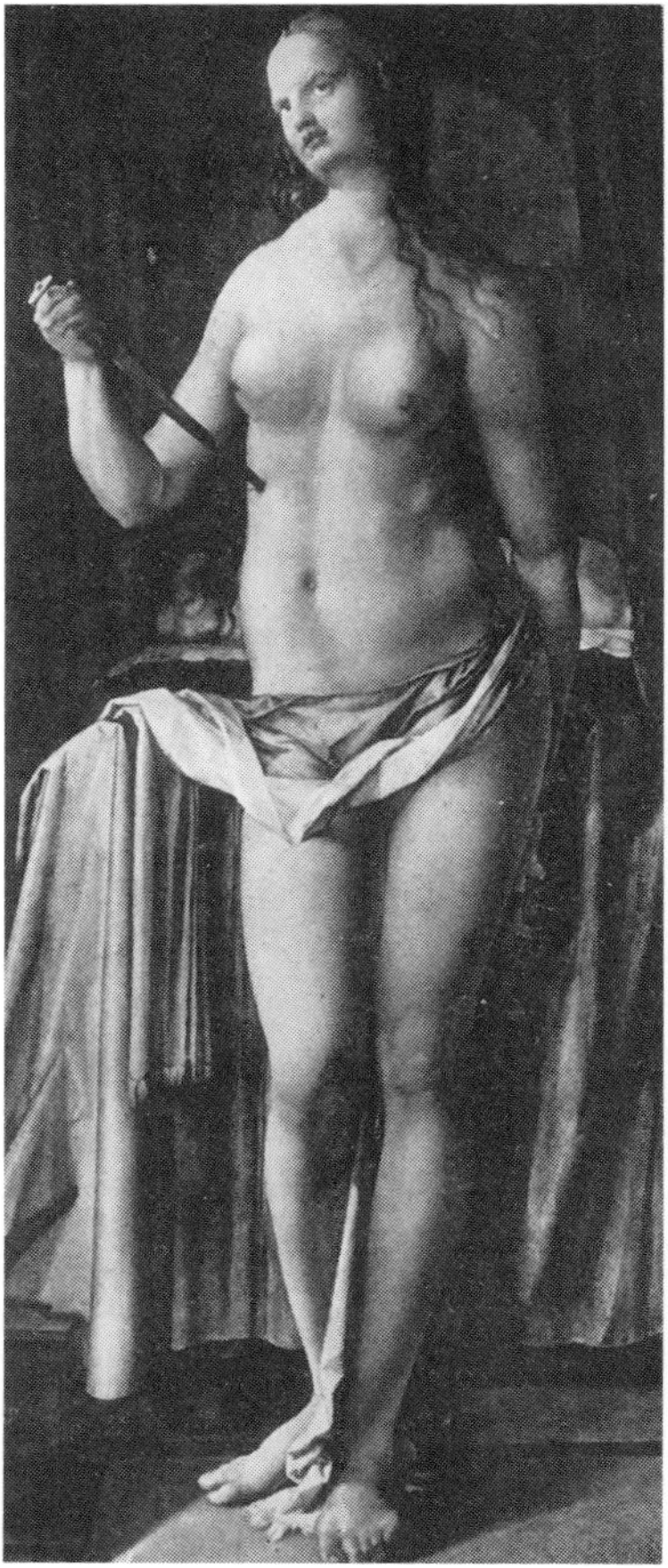

〔アルブレヒト・〕デューラー〔1471～1528〕
『ルクレティア』
ミュンヘン、〔アルテ・ピナコテーク〕、ハンフシュテングル・コレクション

デューラー『オルフェウスの死』。〔アンドレア・〕マンテーニャの絵（紛失）に基づく。

デューラー『男女』(1523年)

〔ルーカス・〕クラーナハ
〔1472〜1553〕
『ヴィーナスとアモル〔エロス〕』
ローマ、ボルゲーゼ美術館

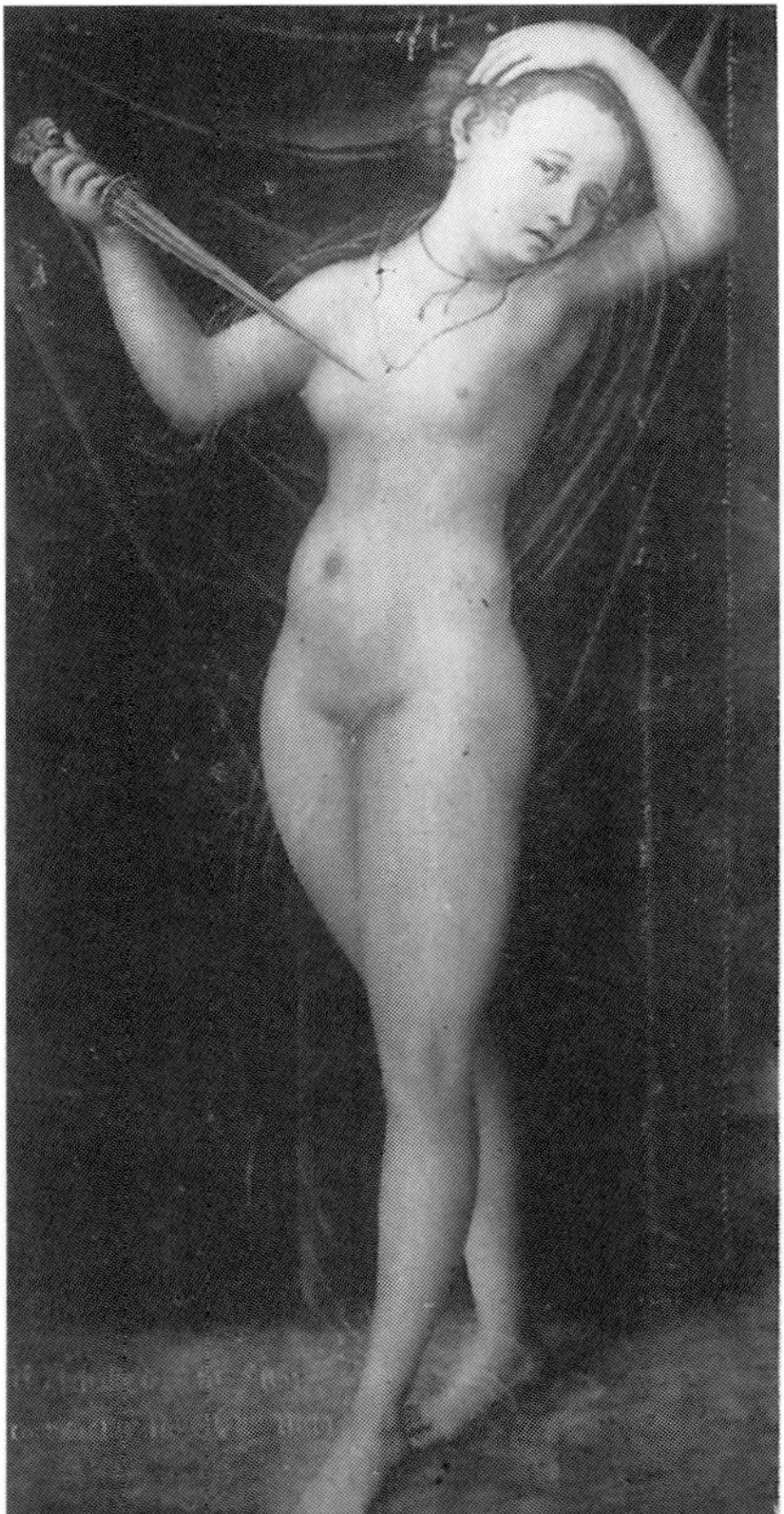

クラーナハ『ルクレティアの死』。クラーナハによって描かれた五枚のうちの一枚。 ブザンソン美術館

クラーナハ『金の時代』　オスロ、国立美術館

クラーナハ『鋸引きの刑』
〔パリ〕、国立図書館、東館
「われわれは、逆さに吊るされた裸の被処刑者を股から切り分けている長い鋸を描き出した人間に対して、面白がる感情より以上のものを向けなければならないのだ……」(139頁)

クラーナハ『ユディトとホロフェルネスの首』
ウィーン、〔美術史〕美術館

ハンス・バルドゥング・グリーン〔1484/85～1545〕『愛と死』〔『死と女』〕（この世はすべて虚栄）、1510年。〔スイス、バーゼル美術館〕
「……それらの作品のエロティックな価値は、いわば、胸を刺すものなのである。その価値は、容易さへと開かれた世界の中において肯定されていたのではない。それは、揺れ動く微光とか、さらに、厳密には、熱を帯びた微光とかに関する事柄なのである。」（138～139頁）

ハンス・バルドゥング・グリーン『女と死』(1515年)

ハンス・バルドゥング・グリーン『女と哲学者』〔『アリストテレスの災難』〕(1513年)

ハンス・バルドゥング・グリーン『ユディト』(1515年)　ニュルンベルク

ハンス・バルドゥング・グリーン『ルクレティア』(1520年)
フランクフルト

ハンス・バルドゥング・グリーン『ヘラクレスとオムパレー〔リディアの女王〕』
パリ、美術学校、J・マッソン・コレクション

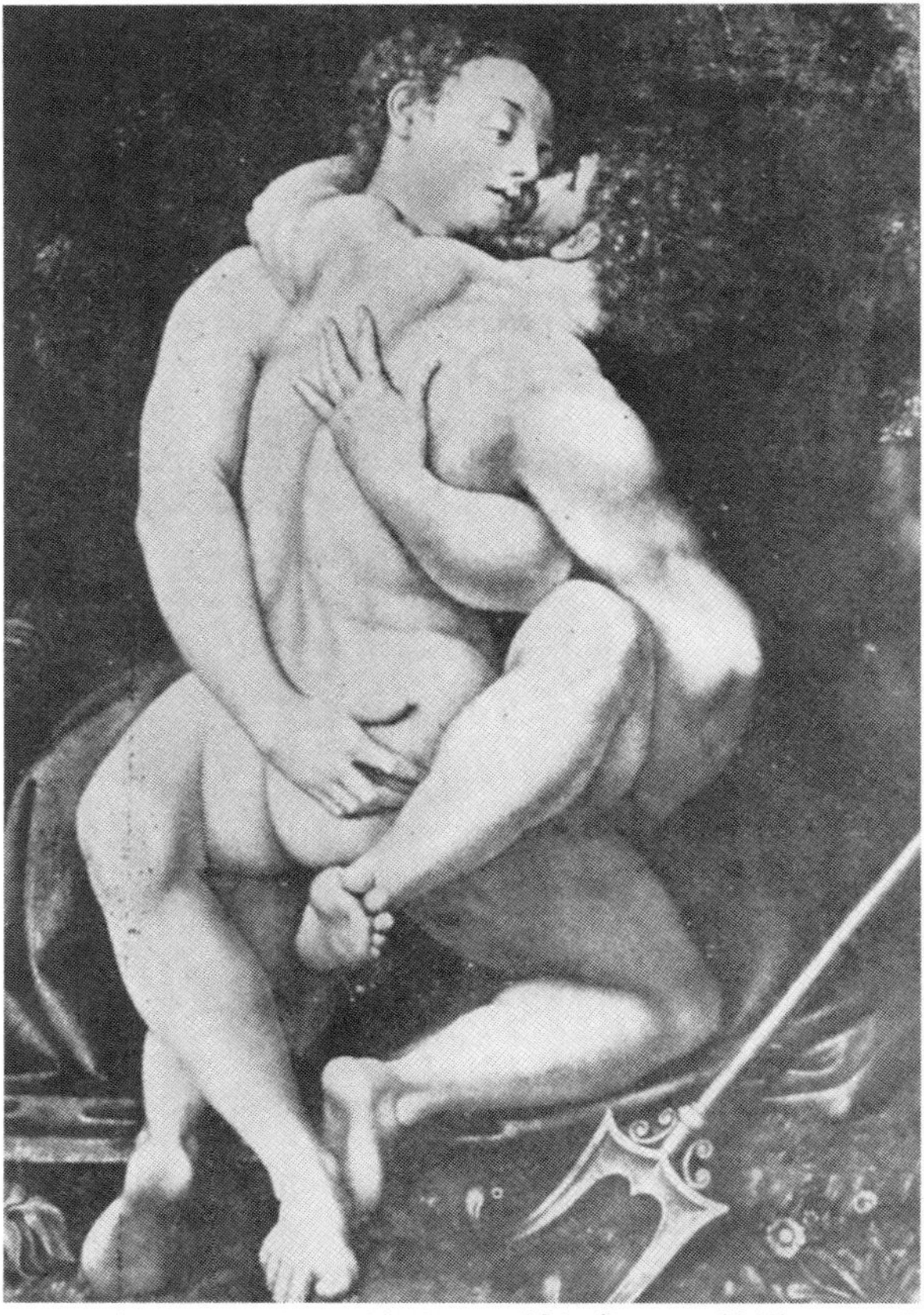

ベルナルト・ファン・オルレイ(1491〜1542)『ネプトゥヌス〔海神〕とニンフ』
ブリュッセル

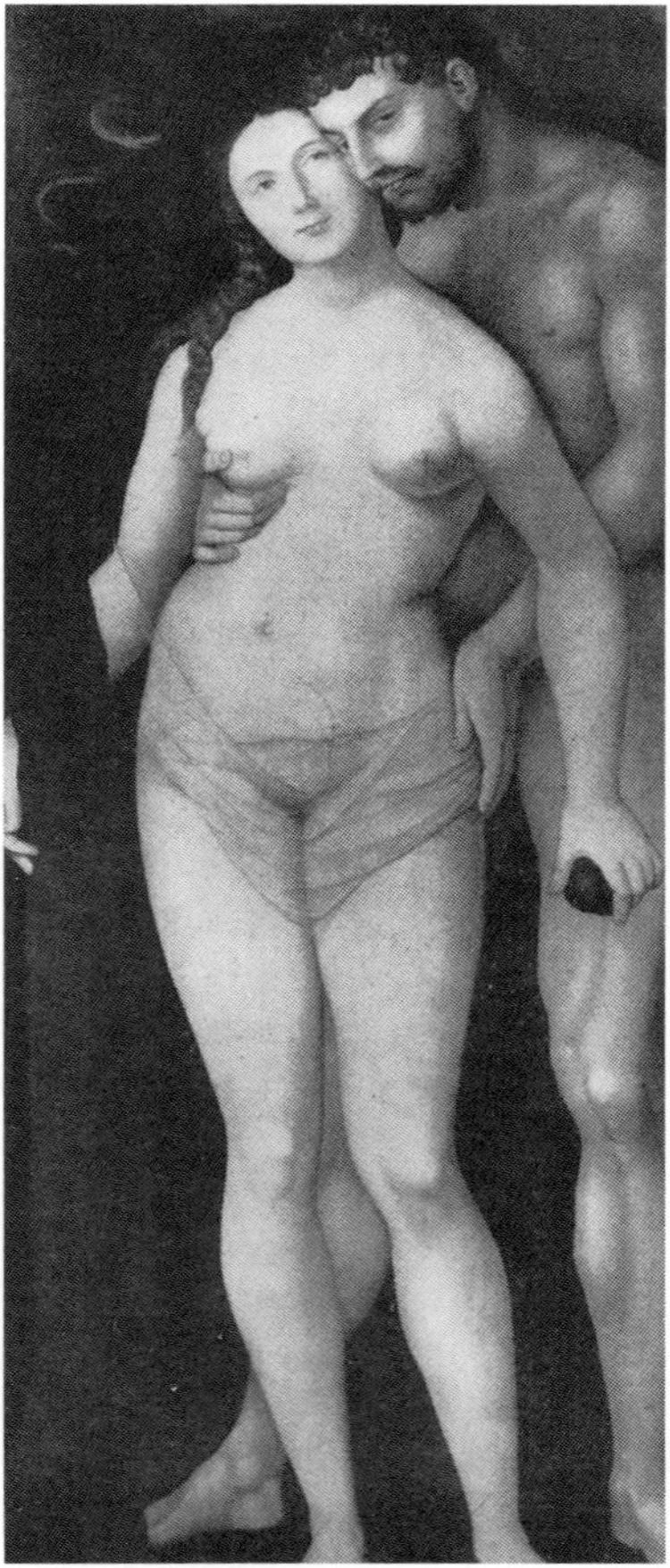

ハンス・バルドゥング・グリーン『アダムとイヴ』
ルガノ〔スイス〕

2 絵画におけるエロティシズムの再出現

中世は、絵画におけるエロティシズムに、その場所を与えた。すなわち、それを地獄へ追いやったのだ！[16] この時代の画家たちは、教会のために仕事をした。そして、教会にとって、エロティシズムは罪だったのである。絵画がエロティシズムを導入し得る唯一の様相は、断罪なのであった。地獄の表現——厳密には、罪の忌まわしい画像——のみが、エロティシズムを登場させることを許したのだ。

ルネッサンス以来、事情は変わった。その変化が起こった——とりわけ、ドイツで——のは、中世的な形式の放棄より前——愛好家たちが、エロティックな作品を買うようになった時から——のことである。この時代に、最も富裕な人々だけが、非宗教的な絵画の注文をする手段を持つに至った。銅版画なら、より少ない出費ですんだ。しかし、銅版画でも、すべての人の財布に適ってはいなかったのだ。

われわれは、このような限界を考慮に入れる必要がある。これらの絵画において——

あるいは、これらの銅版画において——われわれに与えられる情熱の反映は、歪められているのだ。これらの絵画、これらの銅版画は、中世の版画と同じ仕方で一般的な反応、すなわち民衆の反応に応じているわけではないのである。ところが、民衆は、それ自身、情熱の激しさに捉えられやすいものである。その激しさは、この闇から生まれた芸術が脱出して来た希薄化された世界の中で、ものをいうことがあり得たのだ。

いかにも、われわれは、これらの限界を考慮に入れなければならない。部分的には、絵画において——あるいは、銅版画において——われわれに与えられる情熱の反映は、歪められている。これらの絵画、これらの銅版画は、中世の版画と同じ仕方で共通の感情を表わしているのではない。けれども、だからといって、宗教的世界、肉体的な作品を恭しく呪った生き残りの世界の闇から生まれたエロティックな芸術の中において、情熱の激しさがものをいっていることに変わりはないのである……。

アルブレヒト・デューラーやルーカス・クラーナハやバルドゥング・グリーン[訳註2]の作品は、なお、この陽光の不確かさに応じているのだ。この事実によって、それらの作品のエロティックな価値は、いわば、胸を刺すものなのである。その価値は、容易さへと開かれた世界の中において肯定されていたのではない。それは、揺れ動く微光とか、さらに、厳密には、熱を帯びた微光とかに関する事柄なのである。なるほど、クラーナハの裸女たちの大きな帽子は、挑発しようという執念に応ずるものである。こんにち、われわれの軽率さは大きくて、われわれは、それを笑おうという誘惑に駆られることがあり得るかもしれない……。けれども、われわれは、逆さに吊るされた裸の被処刑者を股から切り分けている長い鋸を描き出した人間に対して、面白がる感情より以上のものを向けなければならないのだ……。

この遠い昔のエロティシズムの世界は、しばしば荒々しいものであるが、その世界の登場の最初から、われわれは、エロティシズムとサディスムとの恐るべき合致に直面する。

アルブレヒト・デューラーのエロティシズムとサディスムは、彼の作品の中で、クラーナハやバルドゥング・グリーンの作品の場合とほとんど同じくらい強く結びついている。けれども、バルドゥング・グリーンがエロティシズムの魅力を結びつけたのは、死に――われわれを怖れさせるけれども、われわれを妖術の恐怖の重苦しい歓喜の方向へ引きずって行く全能の死のイメージに――である。つまり、彼は、死に、死の腐敗に、その魅力を結びつけたのであって、苦痛に結びつけたのではないのだ。もう少し後になると、このような結合は姿を消すことになる。マニエリスムが、絵画を、そこから解放したのだ！　けれども、おのれに確信をもったエロティシズム、自由奔放なエロティシズムが現われたのは、やっと、十八世紀になってからである。

ジュリオ・ロマーノ〔1499頃〜1546〕『ユピテル（竜の姿で）オリュムピア〔ピソスの妻〕を訪ねる』フレスコ画 〔マントヴァ（イタリア)、パラッツォ・デル・テ〕

ヤン・ホッサールト〔通称マビューズ、1478頃〜1533/36〕『サルマキスのヘルマプロディトス〔両性具有の神〕への変身』
ロッテルダム、ボイマンス美術館

『フローラ〔花と春の女神〕と雄羊』、〔アーニョロ・〕ブロンズィーノ（1503～1572）の原作に基づくタペストリー。
フィレンツェ、〔パラッツォ・ヴェッキオ〕

ブロンズィーノ『ヴィーナス、クピド〔エロス〕、フォリー〔快活〕、時の神』
ロンドン、ナショナル・ギャラリー

コレッジョ（1489〜1534）『ユピテルとイオ〔女神ヘーラーの女神官〕』
フランチェスコ・バルトロッツィによる版画。〔パリ〕、国立図書館、東館

ミケランジェロ〔・ブオナローティ〕〔1475〜1564〕『男女』。『アダムとイヴ』のための習作。 バイヨンヌ美術館

〔ヤコポ・ダ・〕ポントルモ（1494〜1557）『レダ』（ミケランジェロの原作に基づく）
ロンドン、ナショナル・ギャラリー

〔アニーバレ・〕カルラッチ（1560〜1609）の壁掛けに基づく版画『レダ』

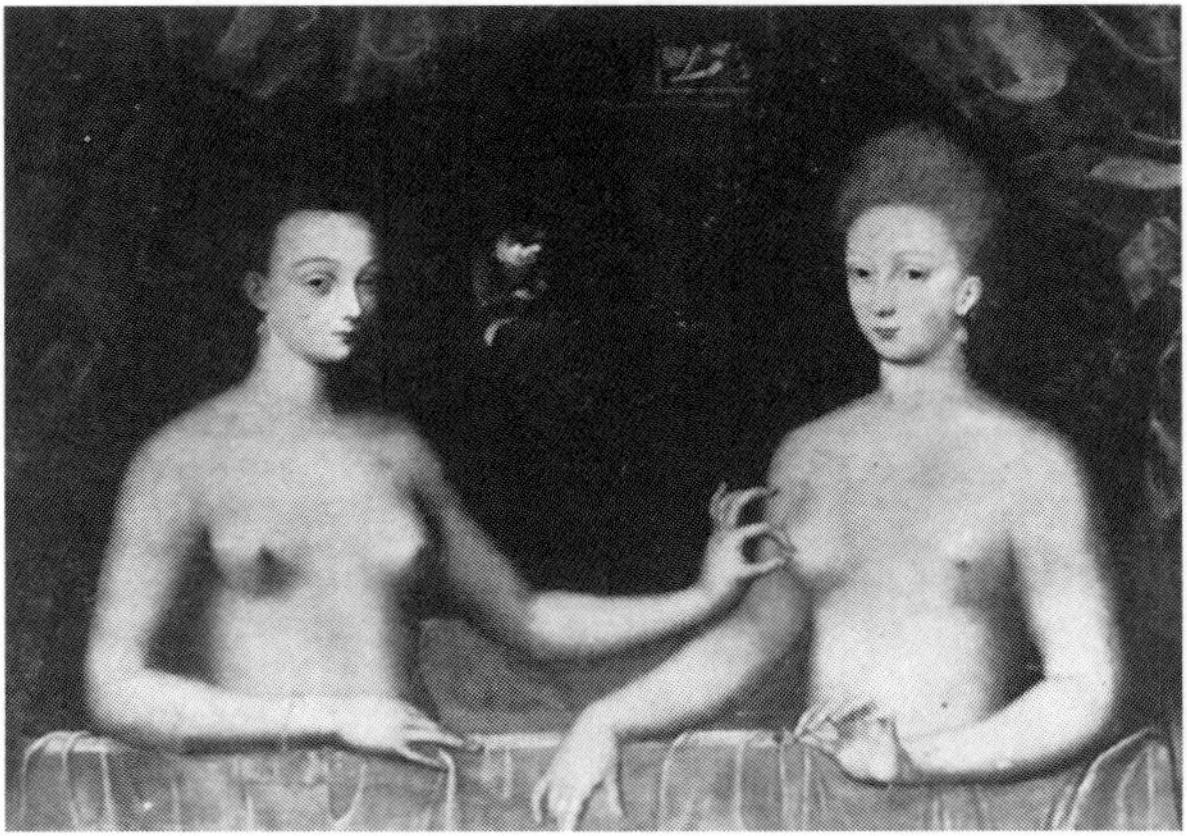

フォンテーヌブロー派『ガブリエル・デストレとその妹』 ルーヴル美術館

フォンテーヌブロー派『湯浴みと仮面』 個人蔵

フォンテーヌブロー派『ディアーナの水浴』(〔次頁の絵の〕部分)
トゥール美術館

フォンテーヌブロー派『ディアーナの水浴』(1545年)。フランソワ・クルーエ〔1515頃〜1572〕の〔同題の〕絵に倣った作品のひとつ。トゥール美術館

アントワーヌ・カロン〔1521頃～1599〕
『ローマの公告追放の虐殺』〔『第二次三頭政治下の大虐殺』〕 ルーヴル美術館

フォンテーヌブロー派『ザビーナ・ポッペア』
ジュネーヴ、〔美術・歴史博物館〕

フォンテーヌブロー派『赤いユリのある婦人』
パリ、ビヤンクール侯爵コレクション

フォンテーヌブロー派『ラ・レコリーナ』
マルセイユ、ドゥマンドル＝ドゥソン伯爵コレクション

フォンテーヌブロー派『エロスの涙』(この絵は、長いあいだロッソ〔・フィオレンティーノ〕の作とされていたもので、『アドニスの死を嘆くヴィーナス』という題で知られている) アルジェ美術館

フォンテーヌブロー派『プロクリスとケパロス』
オランジュリー美術館、セリグマン・コレクション

フォンテーヌブロー派『ユディト』 ベイリー・コレクション

フォンテーヌブロー派『マルスとヴィーナス』〔パリ〕、プティ・パレ

バルトロメウス・スプランゲル『ヘラクレスとデイアネイラ』
ウィーン、美術史美術館

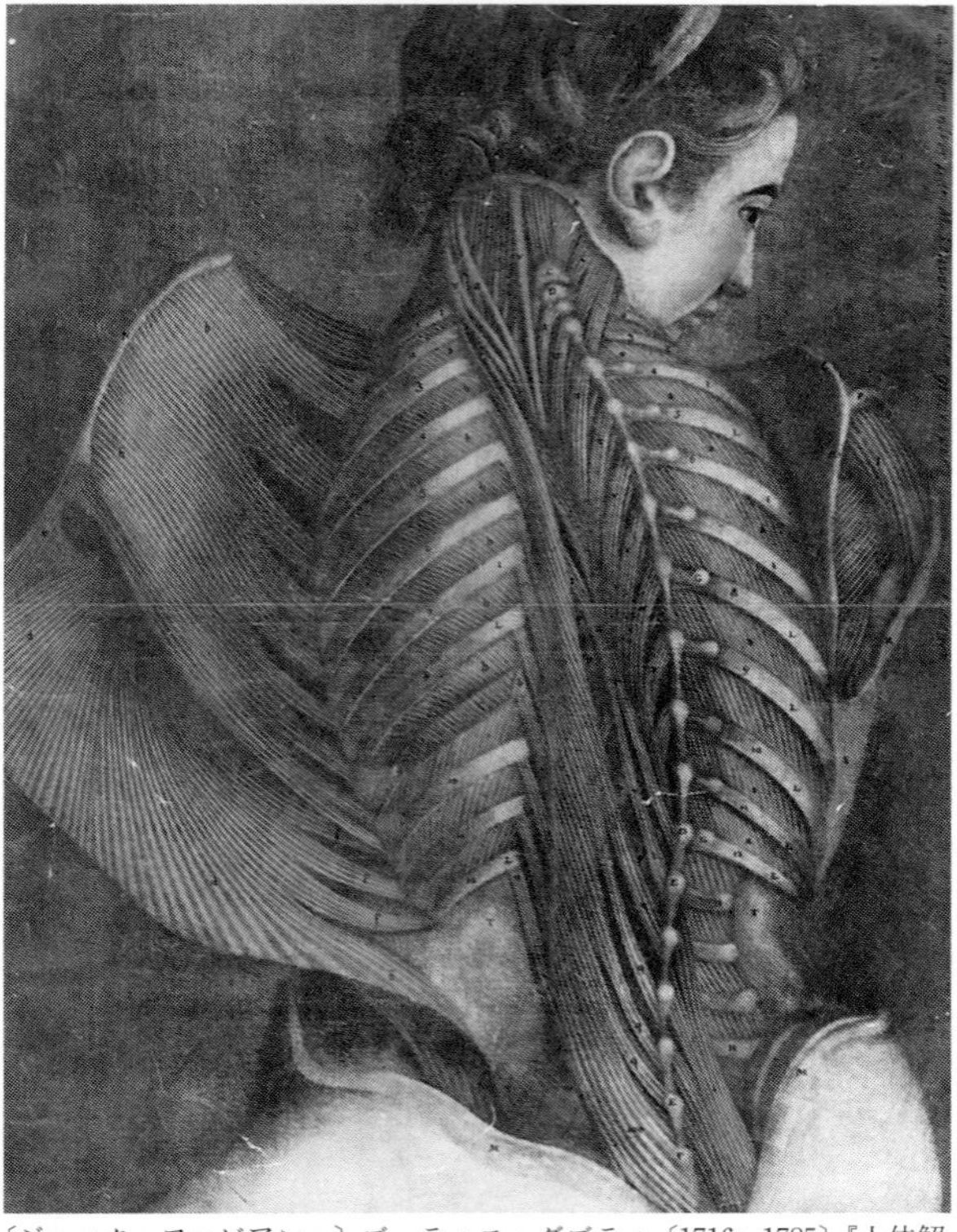

〔ジャック＝ファビアン・〕ゴーティエ・ダゴティ〔1716〜1785〕『人体解剖図』（1773年、ナンシー）パリ、アラン・ブリュー資料
解剖図における後期マニエリスムの例。

バルトロメウス・スプランゲル『知恵の女神〔ミネルヴァ〕の勝利』
ウィーン、美術史美術館

バルトロメウス・スプランゲル『マグダラのマリア』
〔パリ〕、国立図書館、東館

スプランゲル『ヴィーナスとアドニス』 ウィーン、美術史美術館

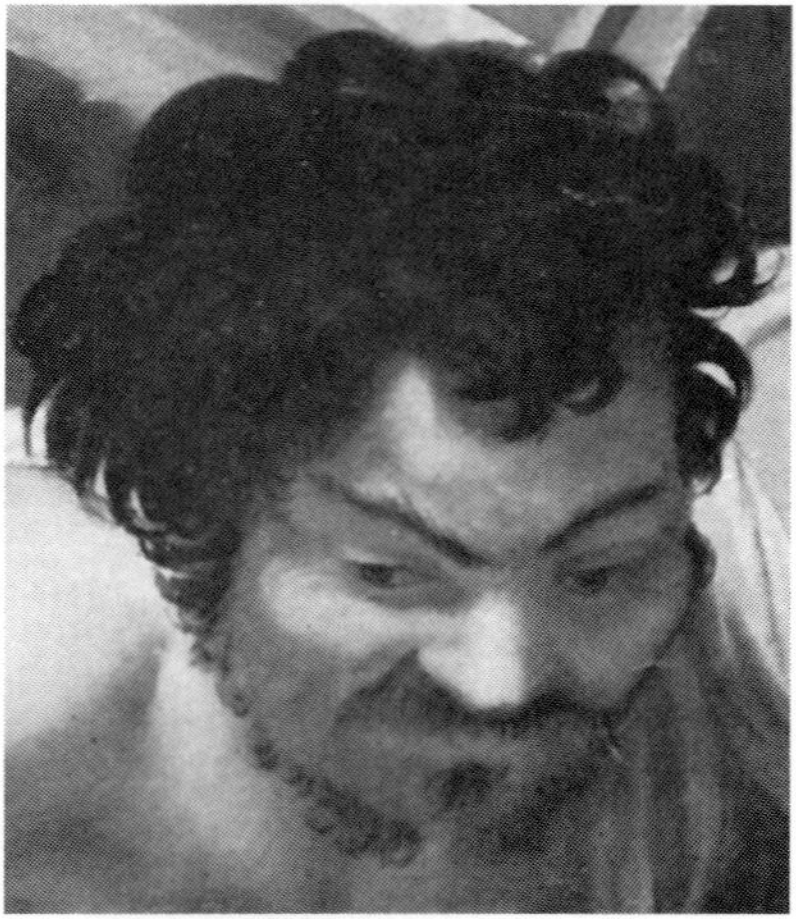

「首切り役人」。次頁のダニエーレ・ダ・ヴォルテッラの絵の部分。

ダニエーレ・リチャルデルリ（・ダ・ヴォルテッラ）(1509〜1566)
『洗礼者ヨハネ』 トリノ、王立美術館

ヤコポ・ツッキ（1541〜1589）『プシュケ、アモル〔エロス〕の不意を襲う』
ローマ、ボルゲーゼ美術館

コルネリス・〔コルネリスゾーン・〕ファン・ハールレム〔1562〜1638〕
『ヴィーナスとアドニス』
ブルンズヴィック、絵画館

アドリアーン・ファン・デル・ウェルフ〔1659〜1722〕『ロトとその娘たち』
ドレスデン、国立絵画館

アドリアーン・ファン・デル・ウェルフ『ロトとその娘たち』
レニングラード、エルミタージュ美術館

OTVIT EA SCVLPTVRA CVIVS HIC PICTVRAM CERNITIS QVAM
LITERARVM PATER SVB DIANE A VENATV COQVIESCETIS
VA DOMI SVÆ INCHOATAM RELIQVIT

フォンテーヌブロー派『泉』 個人蔵

コルネリス・ファン・ハールレム『幼児虐殺』(1591年)
ハールレム〔オランダ〕、〔フランス・ハルス美術館〕

コルネリス・ファン・ハールレム『ノアの洪水』 ブルンズヴィック、絵画館

ティツィアーノ〔・ヴェチェリオ〕〔1488/90頃〜1576〕『ユピテルとイオ』（デッサン）
ケンブリッジ大学、フィッツウィリアム美術館

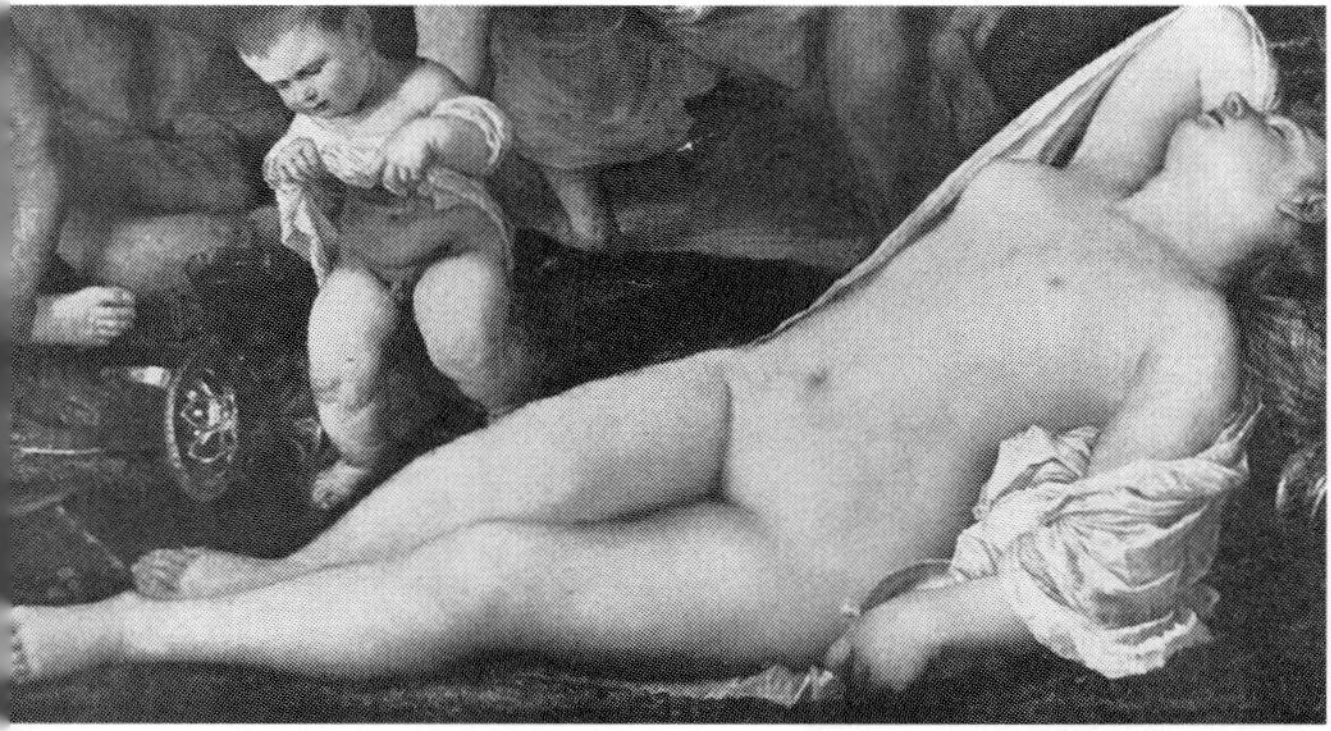

ティツィアーノ『バッカス祭で寝入ったアリアドネ』
子供の奇妙な姿勢は、めったに注目されなかった。
マドリッド、プラド美術館

〔全体〕

ティツィアーノ『ニンフと羊飼い』（あるいは『第三の手』）
ウィーン、〔美術史〕美術館

ティツィアーノ『〔ウルビーノの〕ヴィーナス』 フィレンツェ、ウフィッツィ美術館
これがマネの『オランピア』(237頁参照)の（理想的な）モデルであることを指摘しておこう。

ティツィアーノ『ユピテルとアンティオペー』（部分）　ルーヴル美術館

アントワーヌ・カロン『セメレ〔ディオニュソスの母〕の昇天』
ルーヴル美術館、エルマン・コレクション

ティツィアーノ『ピエトロ・アレティーノの肖像』
フィレンツェ、ピッティ美術館

ティツィアーノ『画家とその妻チェチリア』(1589年)　ルーヴル美術館

〔ヤコポ・〕ティントレット〔1518〜1594〕『ウルカヌス〔火と鍛冶の神〕、マルスとヴィーナスの不意を襲う』ミュンヘン、〔アルテ・ピナコテーク〕

ティントレット『ユディトとホロフェルネス』 マドリッド、プラド美術館

ティントレット『救難』 ドレスデン、国立絵画館

テオドール・ベルナール(1534〜1592)『ノアの時代に滅ぼされたごとく……』(ヤン・サデラー〔1550〜1600〕による版画)〔パリ〕、国立図書館

ヨハネス・フェルメール〔1632〜1675〕『恋人たち』　ドレスデン、国立絵画館

17世紀フランドルの無名画家『洗礼者ヨハネ』(部分)
マドリッド、プラド美術館

〔ニコラ・〕プーサン〔1594〜1665〕『男女と覗き屋』 ルーヴル美術館

「概して自分の古典主義に反するプーサンのエロティツクな執念は、どうやら空を打ったようである……。彼が本性を現わしたとすれば、それは、とりわけ、下絵として利用されることのないスケッチにおいてであった。」〔197頁参照〕

プーサン『ヘルマプロディトス』(ベルナール・ピカール〈子〉〔1673〜1733〕による版画)〔パリ〕、国立図書館

レンブラント〔・ファン・レイン〕〔1606～1669〕『ヨセフとポテパルの妻』(1634年)〔パリ〕、国立図書館、東館

レンブラント『閨房』(1637年)〔パリ〕、国立図書館、東館

レンブラント『ユピテルとアンティオペー』〔パリ〕、国立図書館、東館

レンブラント『修道士』〔パリ〕、国立図書館、東館

レンブラント『隠れた女』(1631年) 〔パリ〕、国立図書館、東館

3　マニエリスム

エロティックな絵画全体の中で、最も魅惑的なものは、私の考えでは、マニエリスムという名で呼ばれたものである。しかし、それは、現在でもなお、よく知られていない。イタリアでは、マニエリスムは、ミケランジェロから起こった。フランスでは、フォンテーヌブロー派が、それを見事に代表した。なるほど、マニエリスムの画家たちは、ミケランジェロを除いて(17)は、ほとんど評価されていない。彼らは、総体的に、真価を認められていないのだ。フォンテーヌブロー派は、絵画において、別の地位を持つこともあり得るであろう。そして、カロン(18)やスプランゲルやファン・ハールレムの名は、多かれ少なかれ、忘却の中に没しているが、そのような忘却は、適切なものではないのだ。彼らは、《奇妙なものの天使》を愛し、強い感覚作用に頼った。古典主義は、彼らを軽蔑した……。けれども、節制とは、あらゆる永続的でないもの、少なくとも永続するはずがないように見えたものに対する怖れ以外に、何を意味するであろうか。同様の理由のために、グレコさえも、注意を惹かなくなった。いかにも、マニエリスムの画家たちの大部分はグレコのような激しさを持たなかった――けれども、エロティシズムが彼らに害を与えたのだ……。

しかも、私は、彼らより執念が弱かったわけではないにせよ、大胆さにおいて劣っていた画家たちが、――ほぼ同じ時期に――同じ道を進んだということに注目しなければならない。ティツィアーノが実際的にティントレットの師匠であったように、ティントレットはグレコの師匠であった。けれども、イタリアでは（とくに、ヴェネツィアでは）古典主義と衰弱とがそれほど深いものではなかったという事実も部分的には原因となって、ティツィアーノの――あるいは、ティントレットの――マニエリスムは、邪魔にならなかった。ところが、グレコのマニエリスムは、十七世紀のスペインに非常な衝撃を与えたので、ヨーロッパの最も異様な画家の一人である彼の名声の衰えが、三世紀――あるいは、それに近い期間――も続いたほどなのである。フランスでは、グレコのような画家の過度な強烈さが関心を惹いたことはないようなのであって、概して自分の古典主義に反するプーサンのエロティックな執念は、どうやら空を打ったようである……。彼が本性を現わしたとすれば、それは、とりわけ、下絵として利用されることのないスケッチにおいてであった。

〔ペーテル・パウル・〕リュベンス〔ルーベンス〕〔1577〜1640〕
『カストルとポリュデウケス』〔『レウキッポスの娘たちの略奪』〕
ミュンヘン、アルテ・ピナコテーク、ハンフシュテングル・コレクション

リュベンス『メドゥーサ』 ウィーン、絵画館

リュベンス『戦争の惨禍』（下描き）　シュヴリエ・コレクション

リュベンス『戦争の連作』　フィレンツェ、ピッティ美術館

〔フランソワ・〕ブーシェ〔1703〜1770〕『羊小屋の逢引』
ルイ十五世注文の絵。

ブーシェ『愛の試練』

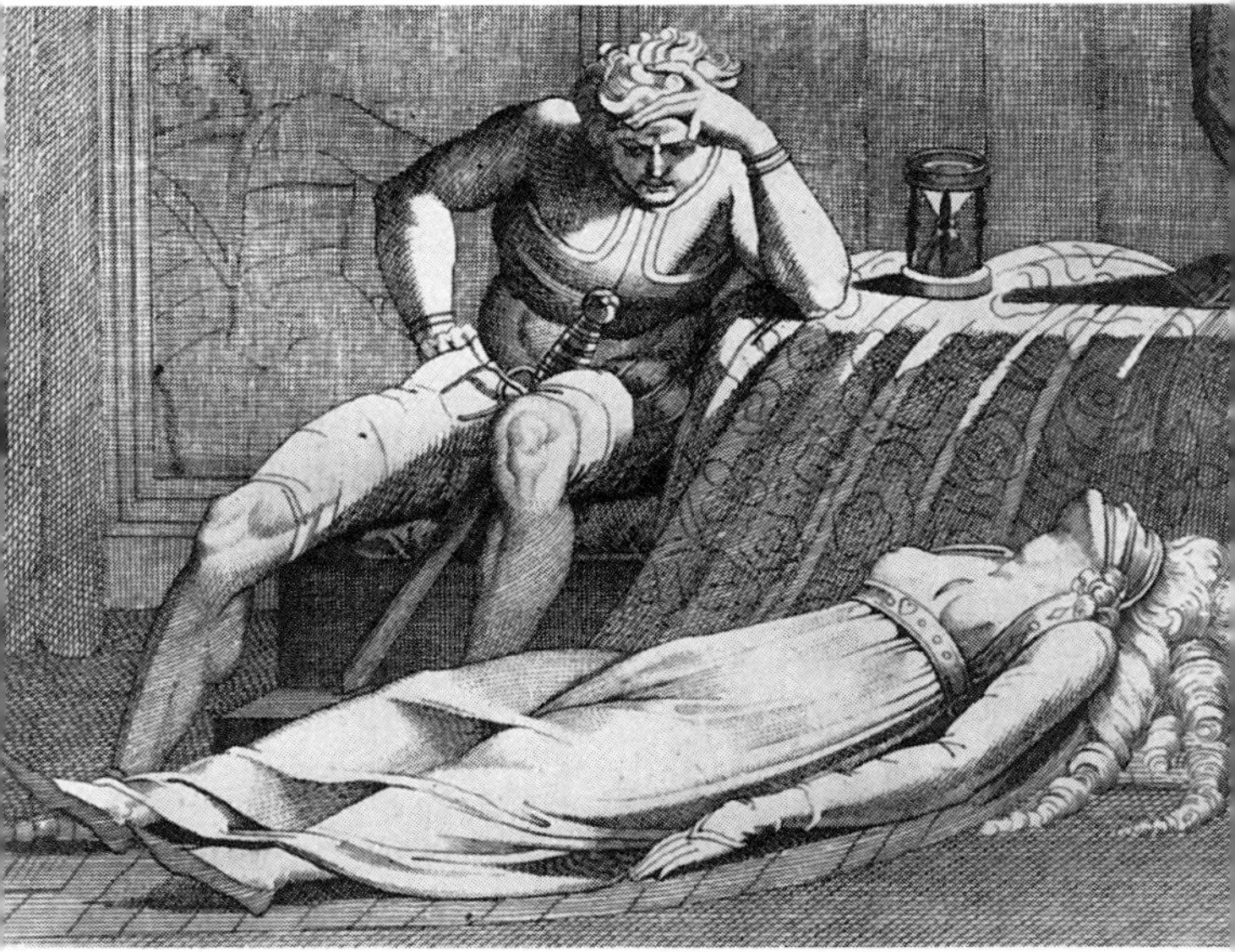

ヨハン・ハインリヒ・フュースリ（1741〜1825）『心を開いて……』
〔パリ〕、国立図書館

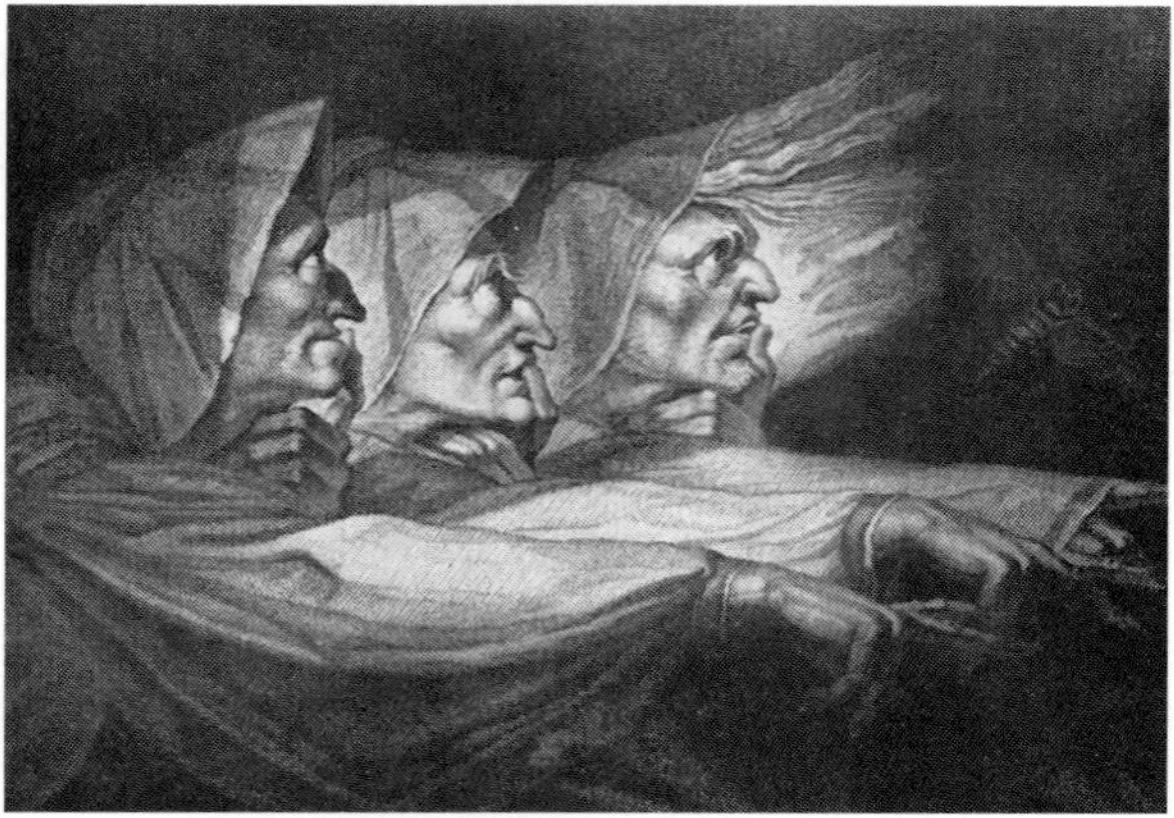

フュースリ『魔女たち』(『マクベス』)、バラティエによる版画、1813年〔パリ〕、国立図書館、東館

フュースリ『夢魔』、ロルドによる版画〔パリ〕、国立図書館、東館

4　十八世紀の自由思想とサド侯爵

十八世紀の自由思想的なフランスとともに、根本的な変化が生じた。十六世紀のエロティシズムは、重苦しいものであった。それは、アントワーヌ・カロンにおいては、狂気じみたサディスムと相携えて進むことができたのである。

ブーシェ[訳註3]のエロティシズムは、軽快さの方向に傾いた。その場合、軽快さがあるのは、重苦しさへの途を開くためにほかならないということもあり得たのだ……。時として、笑いが大殺戮の幕開けをするのである。けれども、この時代のエロティシズムは、おのれがその序曲をなしたところの惨禍について、なにも知らなかった。

ブーシェは、けっしてサドに遭遇するはずがなかったのだ。いかにも、全生涯のあいだ彼に付きまとうことをやめなかった――そして、彼の著書が、その凶暴な物語である――あの惨禍の過度の強烈さがどれほどのものであったにせよ、サドは笑うことができた。[19] しかしながら、サドが、マドロネット修道院への監禁からピクピュス療養所への監禁へと彼を導いた幽閉、そして、熱月《テルミドール》の反動がなかったならば断頭台の上で終わることとなったであろう幽閉[訳註4]の際に、自分の目の下で革命によって首を切り落とされる人々[(20)]を見て、精根を尽き果てさせて行ったということを、われわれは、知っている……。だが、サド自身の人生――生涯のうちの三十年間を監獄で過ごしたサド、いや、とりわけ、この孤独を多数の夢で、恐ろしい叫び声や血まみれの体などの夢で飾ったサド自身の人生は……。サド自身は、この人生を耐えたのだが、それを、忍び難いものを想像することによってこそ耐えたのである。彼の不安の中には、彼を引き裂きながらも、彼を息詰まらせる爆発と等価のものがあったのだ。

〔フランチェスコ・デ・〕ゴヤ〔・イ・ルシエンテス〕〔1746〜1828〕
『二人の老女』リール美術館

ゴヤ『裸のマハ』　マドリッド、プラド美術館

ゴヤ『タンタロス』(版画集『ロス・カプリーチョス』)
〔パリ〕、国立図書館、東館

ゴヤ『愛と死』〔パリ〕、国立図書館、東館

ゴヤ『結婚の愚劣さ』〔パリ〕、国立図書館、東館

ゴヤ『鞭打ち苦行者』 マドリッド、サン・フェルナンド美術館

ゴヤ『人食い人種（I)』 ブザンソン、〔美術考古学〕博物館

ゴヤ『人食い人種（II)』 ブザンソン、〔美術考古学〕博物館

ゴヤ『首切り』 ヴィリャゴンザロ・コレクション

5 ゴヤ

サドの孤独な悲しみが開いた問題は、ただ言葉だけにものをいわせての飽き飽きさせるような努力の中で解決されることはできないであろう。人生の最終的な疑問が提起されるときには、いつでも、ただ気分のみが答えるのだ。惨禍を乗り越える可能性には、ただ血液の動きのみが応ずるのである。応答は、毎度、気分の急変の中において、与えられる。応答は、気分の急変をしか意味しないのだ。厳密には、私は、サドの言葉遣いから、激しさをもった動きを引き出すことができたかもしれない(けれども、サドの晩年を見れば、死が近づくとともに、忌まわしい疲労感が優位を占めていたのだという考えに導かれる)[21]。

疑問は、正当化されている物の見方を、正当化され得ない別の見方に対置しはしない。それは、矛盾する神経的状態どうしを対置するのである。それらの神経的状態に応答するのは、最終的には、鎮静剤か興奮剤なのだ……。

疑問は、われわれの中で、疼くようなものであり続ける。ただ一つの可能性だけが残っている。それは、憤激の例に、意気消沈した惨禍の例を対置することなのだ。サドとゴヤは、ほぼ同時代に生きた。(22)サドは、いくつもの牢獄に閉じ込められて、時としては、憤怒の極限にいたのであり、ゴヤは、聾になって、三十六年のあいだ、完全な聾状態という牢獄に閉じ込められたのである。フランス大革命は、彼らを、双方とも、希望へと目覚めさせた。彼らは、ともに、宗教を基盤とする体制に、病的な嫌悪を持ったのだ。けれども、とりわけ、過度の苦痛の強迫観念が、彼らを結びつけた。ゴヤは、サドのように、苦痛を肉体的悦楽に結合しはしなかった。とはいえ、彼の死と苦痛の強迫観念は、彼の中において、それらをエロティシズムに類縁づける痙攣的な激しさを持った。しかし、エロティシズムは、ある意味では、捌け口なのだ。それは、嫌悪の下劣な捌け口なのである。ゴヤの悪夢は、彼の聾と同様に、彼を閉じ込めた。運命が最も苛酷に閉じ込めたのがゴヤかサドかを人間的に語ることは不可能なのだ。サドが、その非常識の中にあっても、人間性の感情を保持したということには、疑いの余地がない。一方、ゴヤは、その版画やデッサンや色彩画において、(なるほど、掟に背きはしないが)この上なく全面的な非常識に到達した(それに、サドも、総体的には、掟の限界内にとどまったということは、あり得るのだ)。(23)

ヘロデからジル・ド・レーへ

〔ジュゼッペ・〕アルチンボルド〔1527〜1593〕『ヘロデの肖像』
ヴェネチア、カルダッツォ・コレクション
カール公（1563〜1627）がボヘミアの副王であった時代にリヒテンシュタイン公国のものとなった絵。

ラコスト（ヴォクリューズ県）、サド侯爵の城

マシュクル〔ロワール＝アトランティック県〕、ジル・ド・レーの城

エルジェーベト・バートリ

〔エルジェーベト・バートリの〕城

〔テオドール・〕ジェリコー〔1791〜1824〕『レダ（I）』

ジェリコー『レダ（II）』

ピエール＝ポール・プリュードン：ピエール＝ジョゼフ・ベルナール『著作集』所収の『フロジーヌとメリドール』の口絵。ロジェによってビュラン彫りの技法で仕上げられたプリュードン（1758〜1823）のエッチング。

6　ジル・ド・レーとエルジェーベト・バートリ

サドは、ジル・ド・レーを知り、その石のような冷酷さを評価した。最も傑出しているのは、その冷酷さなのだ。「ついに子供たちが死体となって横たわると、彼は彼らを抱擁し……、最も美しい顔や美しい手足を持っている子供たちを熟視してから、彼らの体を残酷に切り開かせて、彼らの内臓の眺めを存分に楽しむのであった」というわけなのだ……。つぎのような言葉は、戦慄しないですます可能性を、最終的に私から奪ってしまう。「そして、はなはだ多くの場合……、子供たちが死にかけているときに、彼は、彼らの腹の上に腰をおろして、彼らがそういうふうに死んでゆくのを見て快感を得るのであった。そして、彼は、コリヨーとアンリエットと呼ばれる連中（彼の従僕）といっしょに、彼らを冷笑するのであった……」。最後に、レー閣下は、極度の興奮のために、陶酔状態になって、塊のように転げ落ちるのであった。従僕たちは、部屋を掃除し、血を洗うのであった……。そして、主人が眠っているあいだに、彼らは、着物を一枚また一枚と焼く労をとるのであった。それは、彼らに言わせると、《悪い臭い》を避けたい

からなのであった。(24)

もしもエルジェーベト・バートリの存在を知っていれば、疑いもなく、サドは、この上なく重症の興奮を経験したことであろう。イザボー・ド・バヴィエール[訳註5]について彼の知っていた事柄は彼を興奮させたのであるが、エルジェーベト・バートリならば、彼に野獣の咆哮を発しさせたことであろう。(25)私は、それについて、この書物の中で語るのだが、涙の標章のもとにおいてしか語ることができないのだ。私の中において、これらの悲痛な文章が整序されるのは、エルジェーベト・バートリという名前が喚び起こすところの途方もない冷静さとは反対の意識においてなのである。それは、悔恨に関する事柄ではなく、また、サドの精神の中におけるように、欲望の嵐に関する事柄でもない。それは、人間が本当にどのようなものであるかということの表現に向けて意識を開くことに関する事柄なのだ。この表現に出会って、キリスト教は、逃げを打った。なるほど、総体的に、人間は、どこまでも逃げを打たなければならないが、しかし、人間の意識は、——傲慢と謙虚の中において、情熱をもって、しかも戦慄しながら——絶頂の惨禍へと、おのれを開かなければならないのである。サドの作品を読むことは、こんにちでは容易なことだが、そのことによって犯罪の数が——サド的な犯罪の数でさえ——変わったわけではないのだが、しかし、サドの作品を読むことによって、人間の本性が全面的に自己意識へと開かれるのだ！

7 近代世界の進展

われわれの知っているとおり、われわれには意識以外に解決策がないのだ。この書物は、著者にとっては、一つの意味しか持っていない。それは、この書物は自己意識へと開くということである！

サドとゴヤに続く時代は、それらの嶮岨な様相を失ってしまった。その後は誰も登攀したことのない絶頂があったわけである。とはいえ、人間の本性が終局的に穏やかなものになったというのは尚早であろう。数々の戦争があったことからみても、その証明はもたらされていないのだ……。だからといって、自分の原理を主張しなかったジル・ド・レーから、自分の原理を主張しながらも、それを真に行動に移さなかったサド侯爵へと至るところで、激しさが衰えてゆくのが見られるということが事実であるのに変わりはない。ジル・ド・レーは、彼の城砦の中で、何十人の、おそらくは何百人の子供たちを責苦にかけ、殺害した……。一世紀あまり後に、ハンガリーで、ひとりの貴婦人たるエルジェーベト・バートリが、彼女の城館の蔭で、若い女の召し使いたちを、そして、その後には、貴族の若い娘たちを死へと追いやった。彼女は、限りない残虐さをもって、それを行なったのである……。十九世紀には、激しさは、概して、より小さくなった。なるほど、二十世紀において、戦争が激発の増加という印象を与えた。けれども、その惨禍が如何に巨大なものであったとしても、この激発は節度のあるものであり、規律の中における完璧な汚辱だったのだ！

増大した戦争の残虐さや規律の中への封じ込めによって、かつて戦争が勝利者に与えていた下劣な寛ぎや慰藉の持ち分が縮減された。逆に、腐敗した恐怖、収容所の泥沼化した恐怖が大量虐殺に加わったのである。恐怖は、はっきりと、悄沈の意味を持つに至ったのだ。われわれの世紀の戦争は、戦争を機械的なものにし、戦争は老いぼれたのである。世界は、ついに理性に屈服する。そして、戦争においてまでも、労働がその原理となり、その根本法則となるのだ。

しかし、世界は、激しさから身を逸らすに応じて、盲目的な凶暴性において失うものを、意識によって獲得する。このような新たな方向づけは、とくに絵画が徐々にその忠実な反映となってゆくものである。絵画は、観念論的な停滞から逃れるのだ。正確さに対して、現実的なものの世界に対して獲得する自由を通じてさえも、絵画が崩壊させようとしているのは、なによりも、観念論なのである。ある意味において、エロティシズムが労働に逆行するものだというのは、あり得ることである。けれども、この対立は、なんら致命的なものではない。こんにち、人々を脅かしているのは、なんら物質的な享楽ではないのだ。物質的な享楽は、概して、富の増大に反する。ところが、富の増大は――少なくとも、部分的には――われわれが富に期待する権利を持っている享楽に反するのだ。富の増大は、戦争を唯一の解決策とする過剰生産に導くのである。私は、エロティシズムが、富の常軌を逸した増大に結びついた悲惨の脅威に対する唯一の対応策だと言うわけではない。まったく違うのだ。けれども、エロティックな享楽を典型とする戦争とは対立的な多様な消費――さしあたり、エネルギーの消費――の可能性の計算なしには、われわれは、理性によって基礎づけられる解決策を発見することができないであろう。

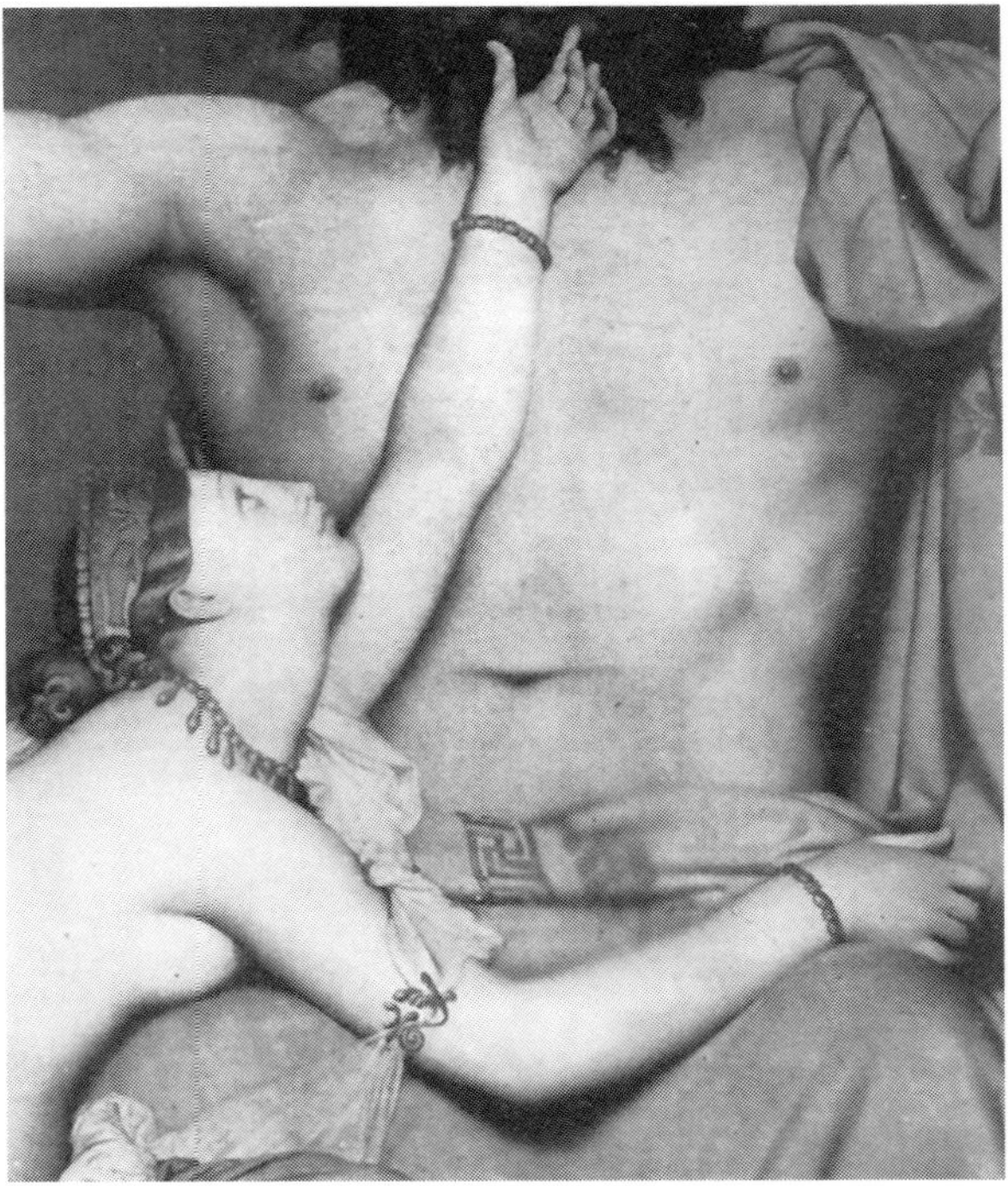

〔ジャン＝オーギュスト＝ドミニク・〕アングル〔1780〜1867〕
『ユピテルとテティス〔海の女神でアキレウスの母〕』（部分）
エクス＝アン＝プロヴァンス

〔ウジェーヌ・〕ドラクロワ〔1798〜1863〕『長靴下の女』 ルーヴル美術館

ドラクロワ『鸚鵡とオダリスク〔ハレムの女〕』 リヨン美術館

ドラクロワ『サルダナパロス〔アッシリアの王〕の死』(235頁、236頁は部分)
ルーヴル美術館

〔部分〕

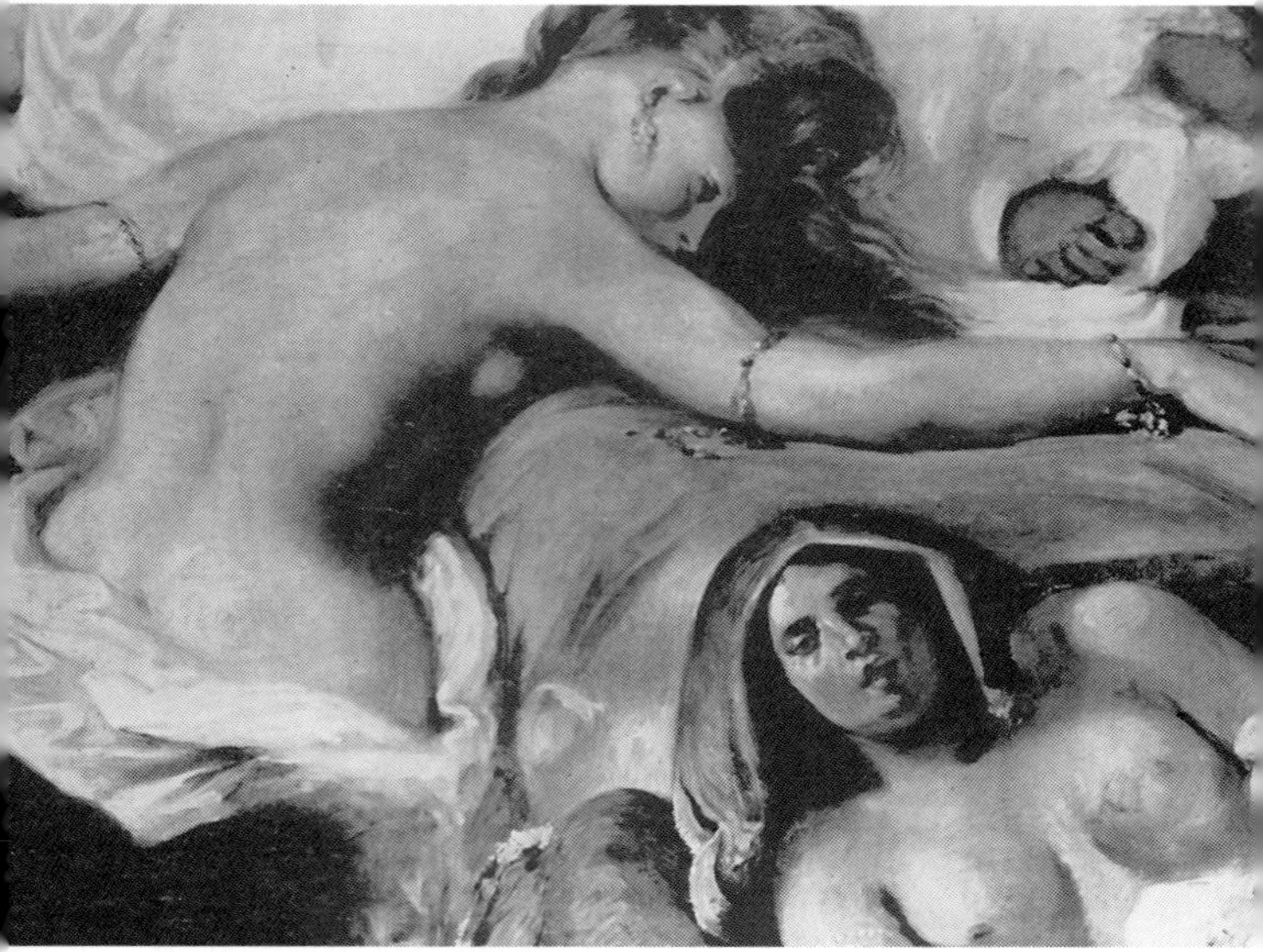
〔部分〕

〔エドアール・〕マネ〔1832〜1883〕『オランピア』（エッチング）
〔パリ〕、国立図書館、東館

〔ポール・〕セザンヌ〔1839〜1906〕『乱痴気騒ぎ』(1864〜1868年)
パリ、個人蔵

セザンヌ『新しきオランピア』(1872～1873年？)　ルーヴル美術館

〔エドガー・〕ドガ〔1834～1917〕『ラ・メゾン・テリエ』〔パリ〕、国立図書館、版画館

ドガ『ラ・メゾン・テリエ』モーパッサンの作品のアンブロワーズ・ヴォラール版のために作られた単刷版画。

〔アンリ・ド・〕トゥールーズ＝ロートレック〔1864〜1901〕
『二人の女友だち』アルビ美術館

トゥールーズ＝ロートレック『放縦』
チューリッヒ、シンツ教授コレクション

ギュスターヴ・モロー〔1826〜1898〕『入れ墨のサロメ』
パリ、ギュスターヴ・モロー美術館

ギュスターヴ・モロー『ユピテルとセメレ』(1896年)
パリ、ギュスターヴ・モロー美術館

ギュスターヴ・モロー『デリラ〔サムソンの愛人〕』
パリ、ロベール・ルベル・コレクション

ギュスターヴ・モロー『娘と色欲』(『妄想』の部分、1884年)
パリ、ギュスターヴ・モロー美術館

ギュスターヴ・モロー『出現』〔ルーヴル美術館〕

オディロン・ルドン〔1840～1916〕『理性の知らない言い分をもつ心』
パリ、プティ・パレ

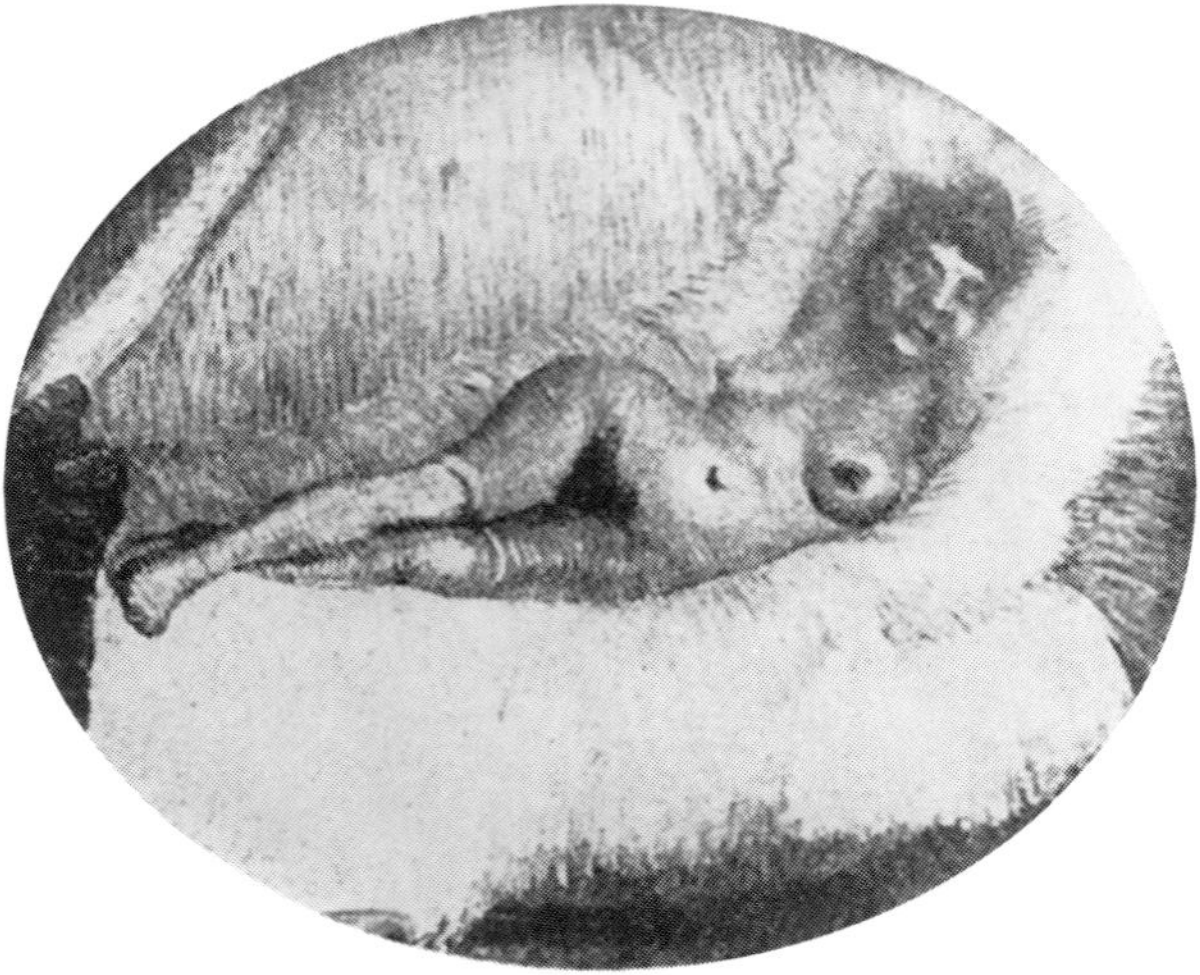

〔フィンセント・ウィレム・ファン・〕ゴッホ〔1853〜1890〕『裸婦』

〔ピエール＝オーギュスト・〕ルノワール〔1841～1919〕マラルメの著作『パージュ』(1891年)のための口絵

8 ドラクロワ、マネ、ドガ、ギュスターヴ・モローおよびシュルレアリストたち

絵画は、それ以来、ある意味において、文学の可能性よりも先に進む開かれた可能性の意味を持っていた。サドの可能性よりも先というわけではない——しかし、だいいち、サドは、ほとんど知られていなかった……。ただ、特権的な人たちだけが、流布していた稀覯本を読むことができたのだ。

ドラクロワは、たとえ、総体的には、観念論的な絵画の諸原則に忠実なままでいたにせよ、新しい絵画の方向に傾き、そして、エロティシズムの面においては、死の表現に彼の絵画を結びつけた。

マネは、初めて、自分が見なければならなかったであろうものではなくて、自分が見ているものを表現することによって、因習的な絵画の諸原則から決然として離れた。さらに、彼の選択は、受容された習慣によって歪曲されていない生々しいヴィジョン、

荒々しいヴィジョンの途へと、彼を引き入れた。マネの裸体画は、習慣——意気消沈させる——や因襲——抹殺する——の衣裳に覆われていない唐突さを持っている。ドガが、彼の単刷版画の中でその不作法さを主張しようとしたような遊郭の娼婦についても、同様なのだ(26)……。

もちろん、ギュスターヴ・モローの絵画は、それとは反対である。彼の絵画においては、すべてが慣習的なのだ。激しさが慣習の反対だということに変わりはない。ドラクロワの激しさは非常に大きなものだったので、彼の絵における慣習は、観念論の原則に応ずる諸形態を、うまく覆い隠すことができなかったほどである。ギュスターヴ・モローの諸形象をエロティシズムの苦悶に満ちた裸形へと結びつけたのは、激しさではなくて、倒錯であり、性的執念であった。

さて、最後に、私は、シュルレアリスムの絵画について語らねばならない。それは、要するに、今日のマニエリスムを代表しているものなのだ。マニエリスムだって？　この言葉は、それを使用する人々の精神の中において、もはや非難の意味を持っていない。

それがなくては慣習から解放されることができない激しさを言い表わしているという意味においてのみ、私は、この言葉に頼るのである。ドラクロワの激しさとか、マネの激しさとか、ギュスターヴ・モローの熱狂を表現するために、私は、この言葉を使用したい。動かし難い真実を追い求める古典主義についての反対の立場を強調するために、私は、この言葉を用いる。マニエリスムは、熱狂の追求なのだ！

いかにも、この追求は、注意を惹きたいという、それ自身において病的な欲求に、口実として役立つということもあり得る。エロティシズムの危険な真実を忘れ、それを使って欺瞞をはたらこうとした人物の場合がそれである(27)……。

こんにちでは、誰も、シュルレアリスムという言葉を、この名称によってアンドレ・ブルトンを担ぎ出そうとするような一派に留保しはしない。それでも、私は、マニエリスムについて語ることの方を好んだ。私は、熱狂を表わそうという執念に憑かれた画家たちの根本的な一体性を指摘したいのだ。熱狂、欲望、燃え上がる情熱を表わそうという執念にである。私は、マニエリスムという言葉が暗示する策略を考慮に入れたくはない。この言葉が欲望に結びつくとすれば、それは、強勢法を望む人々の頭の中においてなのだ。私が語っている画家たちの本質的な特徴は、慣習を嫌うということである。このことだけで、彼らは、エロティシズムの熱っぽさを——というのは、エロティシズムが発散する呼吸できないほどの熱っぽさのことだ——好むようになったのだ……。私の語っている絵画は、本質的に、沸き返っているのであり、生きているのであり……、燃えているのであり……、判断や分類が要求する冷ややかさをもって、それを語ることは、私にはできないのだ……。

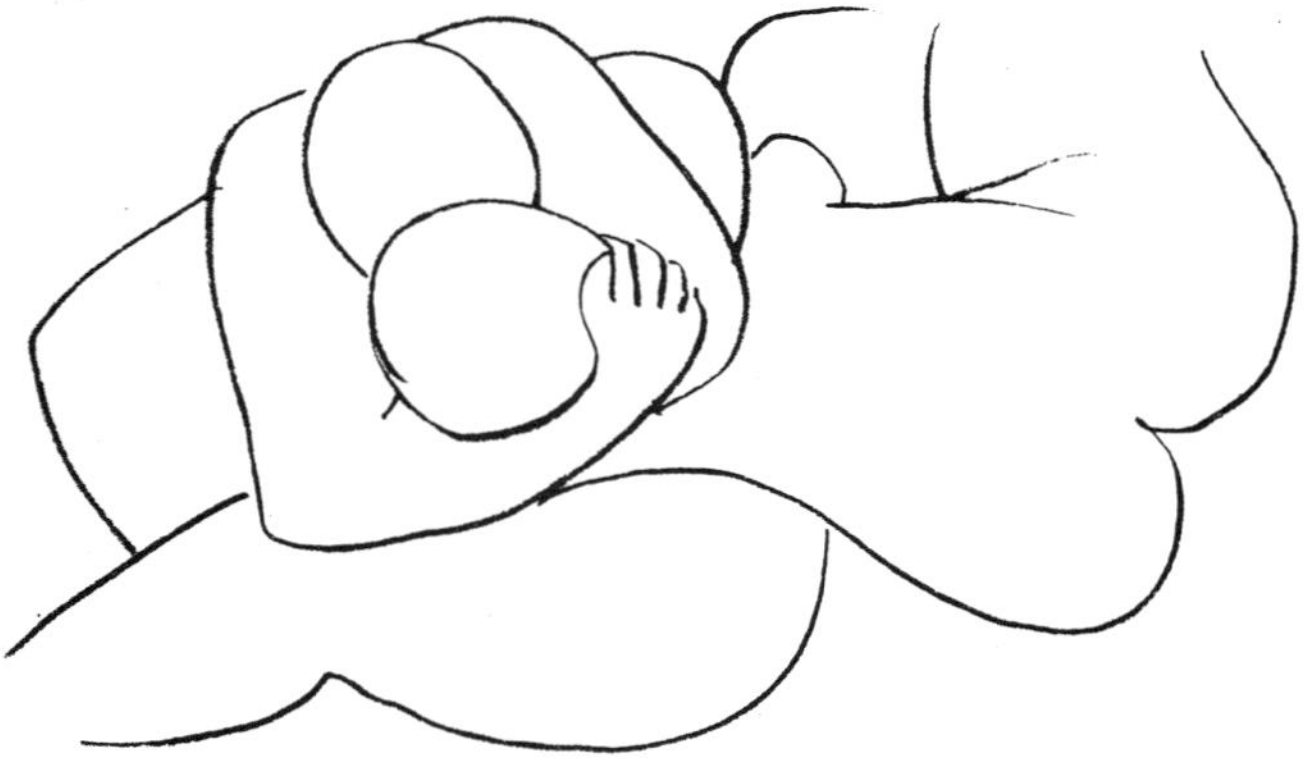

〔アンリ・〕マティス〔1869～1954〕『男女』〔パリ〕、国立図書館

〔パブロ・ルイス・〕ピカソ〔1881〜1973〕
『ニンフのヴェールを剝ぐ半獣神』(1930〜1936年)
「ヴォラール〔画商〕連作」のためのエッチング、1937年

ピカソ『ピカドールと娘』 ルイーズ・レリス画廊

ピカソ『男女』
ルイーズ・レリス画廊

パブロ・ルイス・ピカソは、1881年にマラガで生まれた。彼は、1901年以来フランスに定住している……［ジョルジュ・リベモン＝デセーニュは、彼について、「ピカソについて語りうることは何ひとつ正確ではない」と書いている］。しかしながら、われわれは、ゴメス・デ・ラ・セルナが彼を「絵画の闘牛士」という名で呼んだことを述べておこう。事実、彼は、幼年時代から闘牛の雰囲気のなかで生活した。そして、1960年においてもなお、闘牛は彼の生活のなかで同じ地位を占めている……（彼のデッサンやジャン・デヴィルの最近の映画『ピカソ、ピカドールの小叙事詩』が示すように）。

ピカソ『ケンタウロスのネッソス』(ドライ・ポイント、1920年)
ルイーズ・レリス画廊

マックス・エルンスト〔1891～1976〕『ロトの娘たち』
ロスアンジェルス、ドリス・スターレル夫人コレクション

マックス・エルンストは、1891年に、西ドイツ・ラインラントのブリュールで生まれ、第一次世界大戦前に絵を描きはじめた。休戦になるや、チューリッヒで1916年頃に生まれたダダの運動に参加する。1920年からパリで展覧会を開き、1922年にパリにやって来て定住する。1924年には、シュルレアリスム運動の創設に参加する。フランスで暮らし、1941年に、やっとのことでこの国を去ってアメリカに行くことに成功。1949年までそこに滞在。1946年、やはり画家であったアメリカ人ドロシア・タニングと結婚する。現在ではフランスに帰化し、1954年に居を定めたトゥーレーヌ地方のユイスムで大部分は暮らしている。その同じ1954年に、ヴェネツィア・ビエンナーレの大賞を獲得するが、それは、彼の栄光と同時にシュルレアリストのグループからの除名をもたらした（このグループは、シュルレアリスムの意義を示しつづけている多数の者たちの除名によって、次第に解体した）。

マックス・エルンスト『子供のメッサリナ』

アンドレ・マッソン〔1896〜1987〕『殺戮』

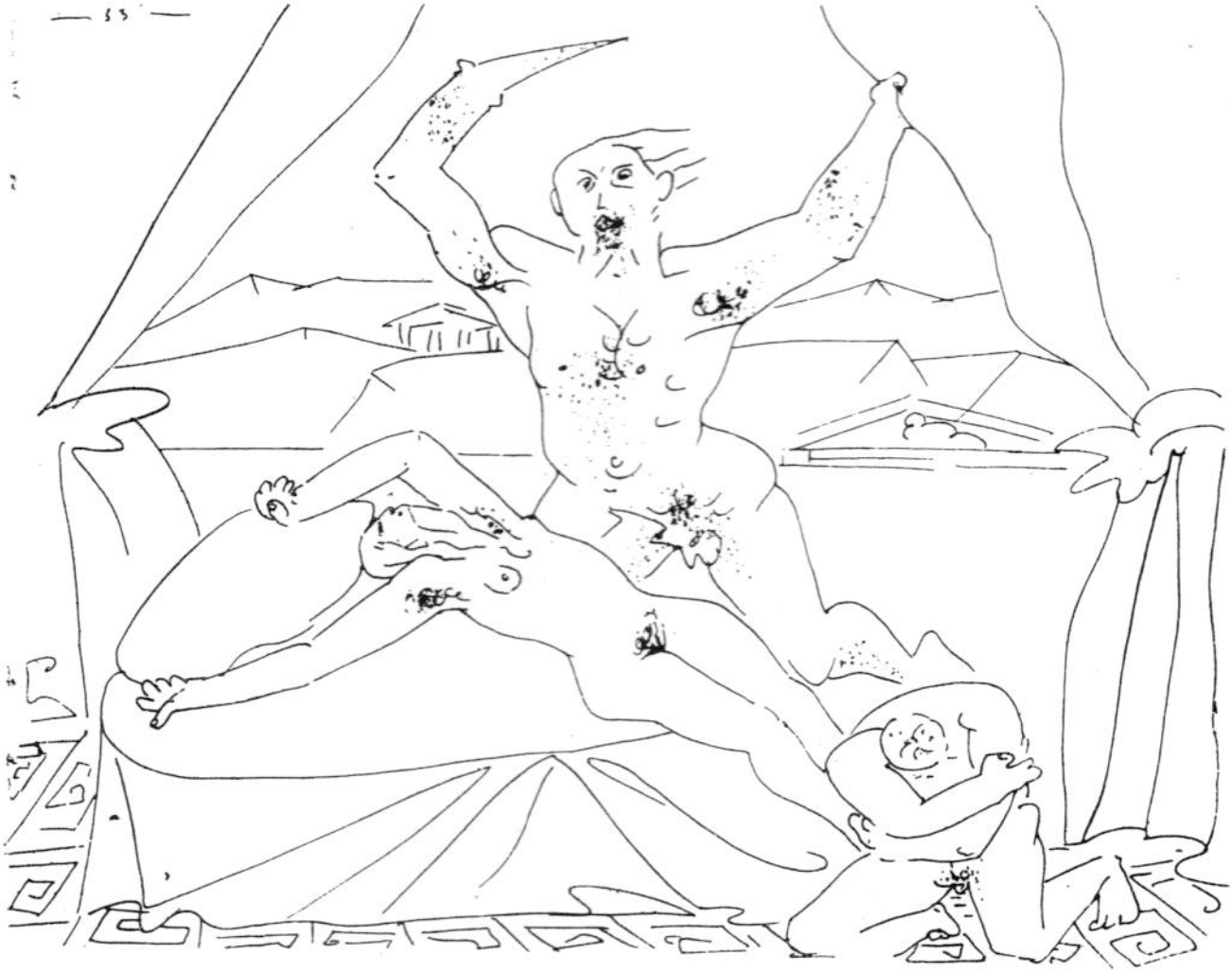

アンドレ・マッソンは、1896年に、イル＝ド＝フランス地方のバラニーで生まれた。まずブリュッセルの王立アカデミーで、次にパリの美術学校で絵を学ぶ。第一次世界大戦に歩兵として参加。「この試練から、肉体的にも神経的にもひどい痛手を受けて戻る」。「戦後すぐから、マッソンの初期のエロティックなデッサンや水彩画が始まる。それは、生命愛の自由な表現であって、この生命愛こそがつねに彼の作品を支えている」。アンドレ・マッソンの壮大なエロティシズムは、ウイリアム・ブレイクのエロティシズムとのあいだにきわめて大きな類似性をもっている。マッソンは、執拗なサドの崇拝者である。1948年に、マッソンは、「エロティックな地球」という意味深長な題名のもとに、ヴァンドーム画廊でデッサン展を開いた。マッソンは、確かに、画家たちのなかで最もよくエロティシズムの深く悲痛な宗教的価値を表現した人である。（ミシェル・レリス『アンドレ・マッソンとその作品』、ジュネーヴ、1947年、他参照）

アンドレ・マッソン『ポリーヌ・ボルゲーゼのための肘掛け椅子』

アンドレ・マッソン『祝祭』 ルイーズ・レリス画廊

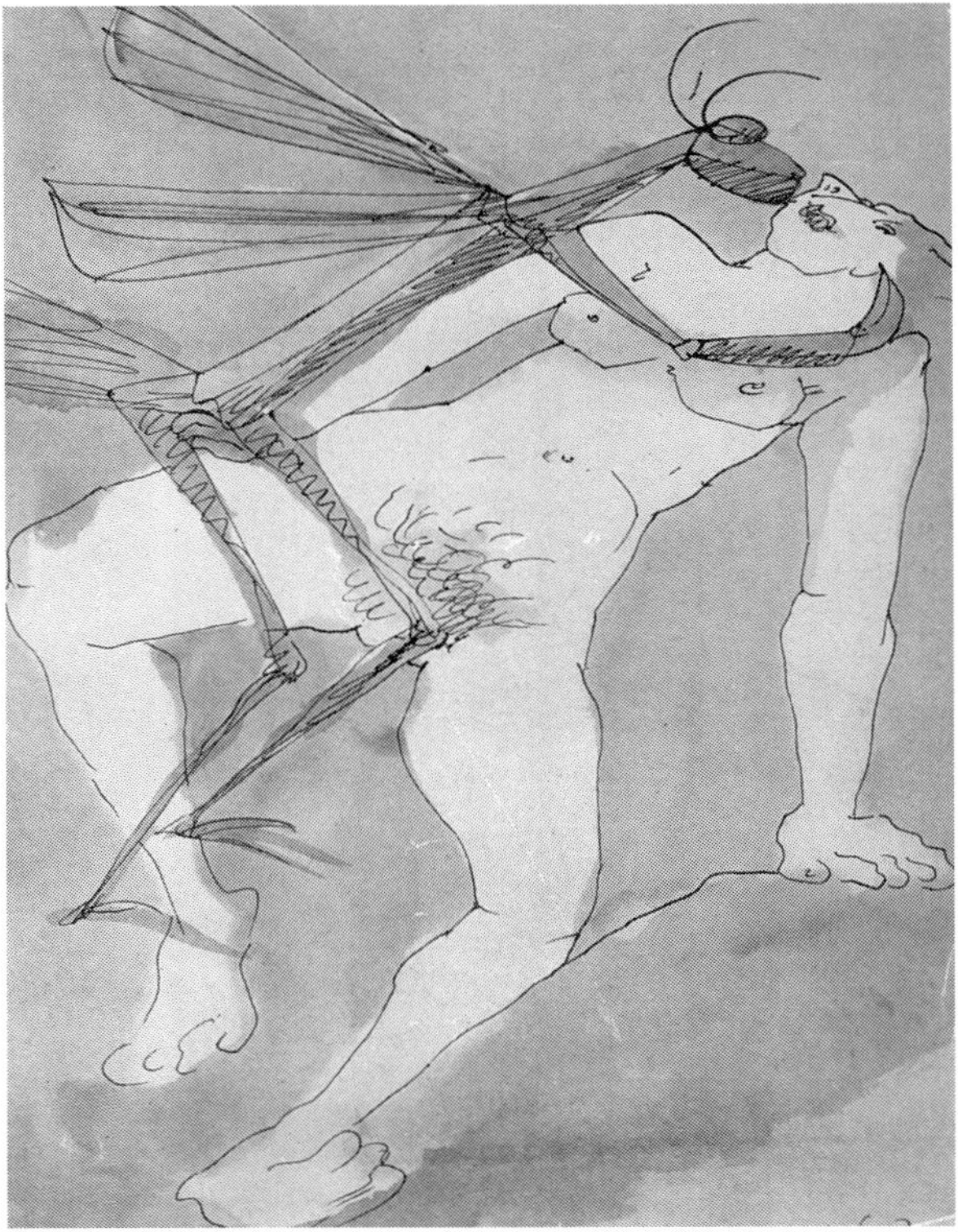

アンドレ・マッソン『カマキリ』 ルイーズ・レリス画廊

アンドレ・マッソン『地獄に堕ちた女たち』(1922年)　ルイーズ・レリス画廊

アンドレ・マッソン『レスボス』(1922年)　ルイーズ・レリス画廊

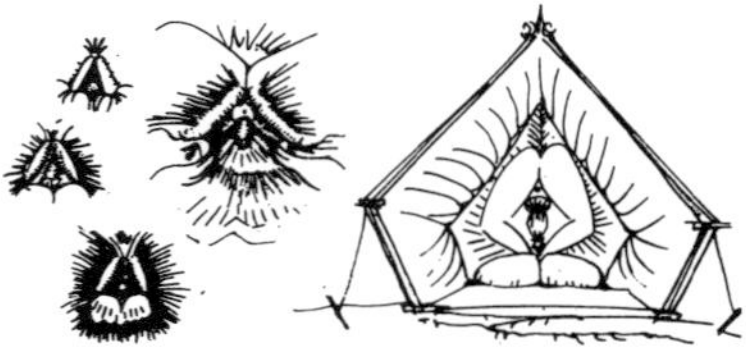

アンドレ・マッソン『エロティックな神殿』(1940年)[サルヴィアーティ『プリアーポスの凱旋』、100〜101頁(右側)のデッサン]

ポール・デルヴォー〔1897〜1994〕『月下の都市』(1944年)
ニューヨーク、アレックス・サルキン・コレクション 〔個人蔵〕

ポール・デルヴォーは、1897年に、ベルギーのアンタイトで生まれた。まもなく、「彼はシュルレアリスムと並行して進むが、そこに溶け込むことはない」。1939年から1944年までに、二度のイタリア旅行が、遠近法と色彩の新しい試みを彼に示唆する。1945年には、アンリ・ストルクによって、ポール・デルヴォーの作品に関する映画が撮られた。シナリオはルネ・ミシャで、ポール・エリュアールの解説がついている。

ポール・デルヴォー『バラ色のリボン』(1936年)
〔アントワープ王立美術館〕

ポール・デルヴォー『夜の汽車』(1947年)

ルネ・マグリット〔1898～1967〕『オランピア』(1947年)

ルネ・マグリットは、1898年に、ベルギーのレッシーヌで生まれた。ベルギーの友人の何人かと同時に、1926年に、シュルレアリスムに加わった。シュルレアリスムは、出発点において、彼の絵の深い意味を表現しているが、それは詩なのである。彼のエロティシズムが至上のものであるのは、それが詩であるかぎりにおいてなのだ。エロティシズムは、詩なしには、完全に顕示され得ない。

ハンス・ベルメール〔1902〜1975〕『人形』
「夜は夜の仕方で輝く、目と心のあいだで。夜は感覚的なものを空しくする、唯一の純粋な空間。」ポール・エリュアール

ハンス・ベルメールの二枚のデッサン

ハンス・ベルメール『サドに』(ニューヨーク、1947年)
パトリシア・エショーレン・コレクション

バルテュス『室内』(1952〜1954年)　パリ、アンリエット・ゴメス画廊

バルテュス『夢』(1955〜1956年)　パリ、アンリエット・ゴメス画廊

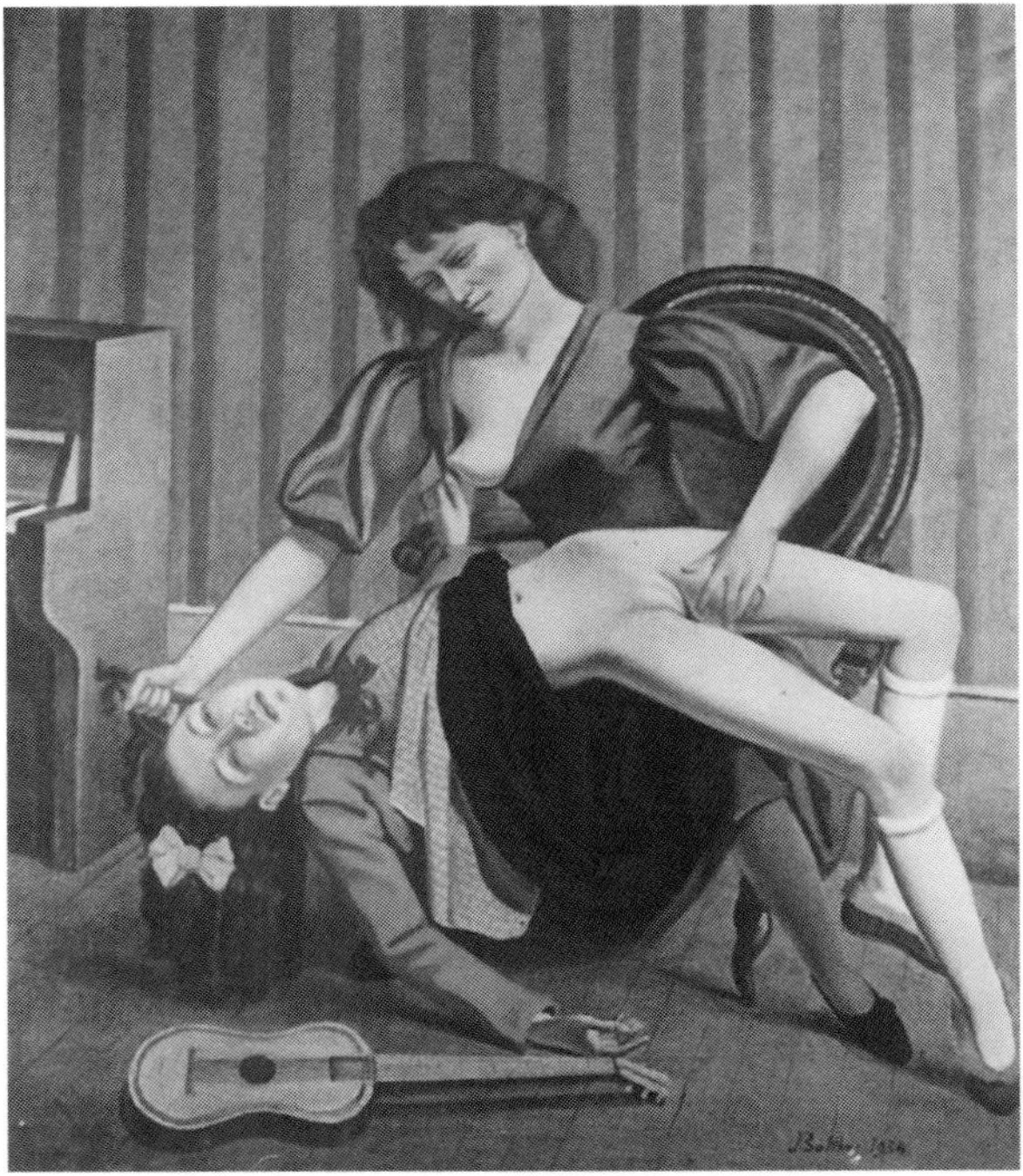

バルテュス『ギターのレッスン』(1934年)

バルテュス（バルタザール・クロソウスキーの異名）は、1908年に、パリで生まれた。1934年の、彼の最初の展覧会は、彼をかなり広く知らしめた。1939年に動員され、戦争の当初に、アルザスで負傷した。バルテュスの絵は数少なくて、その作者は最も「現代的な」画家たちのなかに数えられるけれども、彼らを伝統的な画家たちから絶対的に区別するものは何もない。最近、バルテュスは、ローマのメディチ館の館長に任命された。

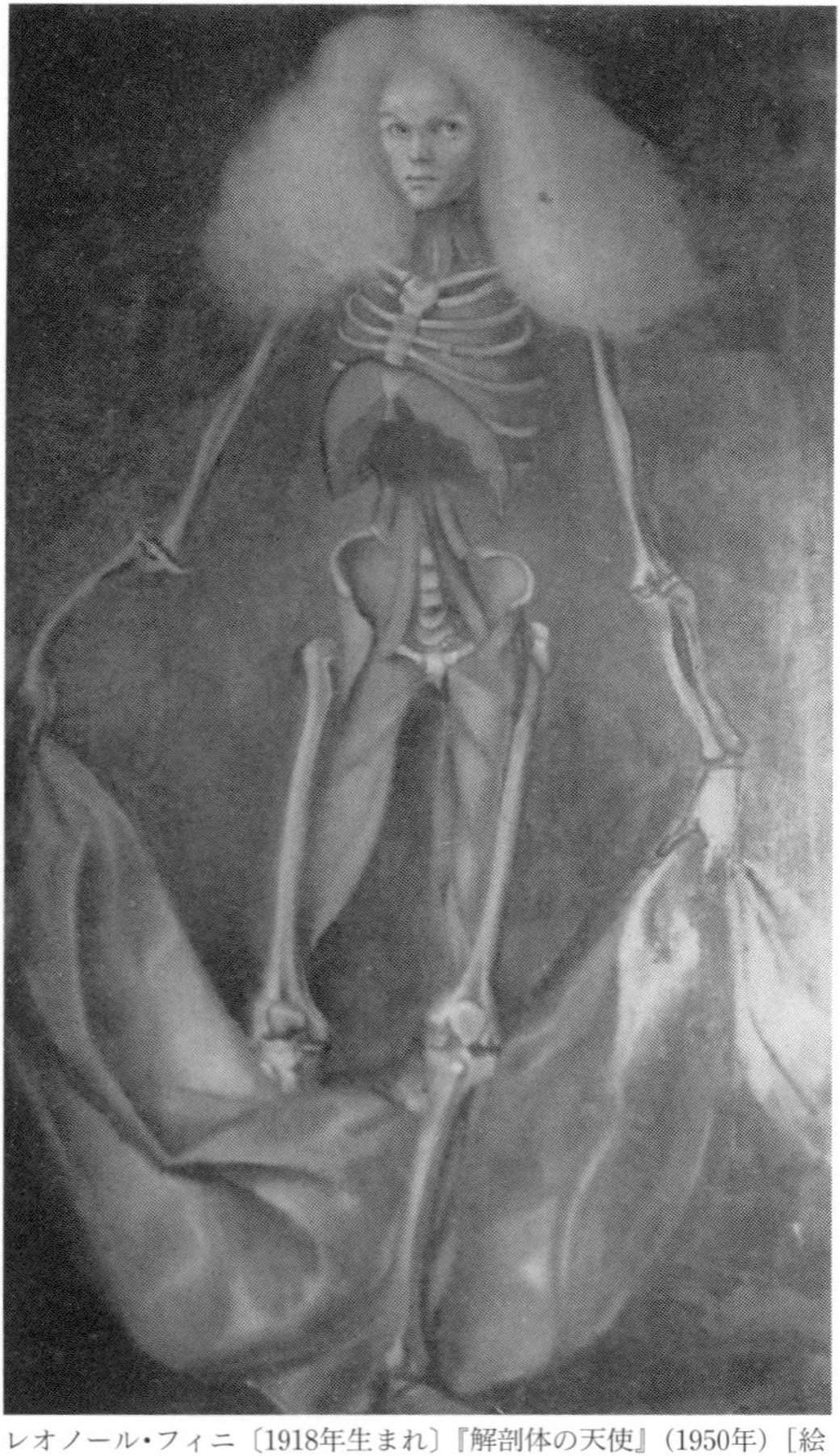

レオノール・フィニ〔1918年生まれ〕『解剖体の天使』(1950年)［絵の最初の状態］

レオノール・フィニ『室内』(1941年)

レオノール・フィニは、アルゼンチン人の父とトリエステ〔イタリア〕人の母から生まれた。スペイン人、ヴェネチア人、スラヴ人、ドイツ人、ナポリ人がその両親の先祖である。

レオノール・フィニについて、ジャン・ジュネは次のように書いている(『レオノール・フィニへの手紙』、パリ、1950年)。「もし私が作品のなかに、しかもその形成のときから、私がその方に向かって進んでいくもの——そして私にしか属さないであろうもの——を見出したのではなくて、その同じ要素が死の年代記を通して絶望的に散乱するのを目にしたのだとしたら、作品というものに私がこれほどまでに夢中になることがあるだろうか」。

レオノール・フィニ『友情』(1957年)

レオノール・フィニ『無条件の愛』(1959年)

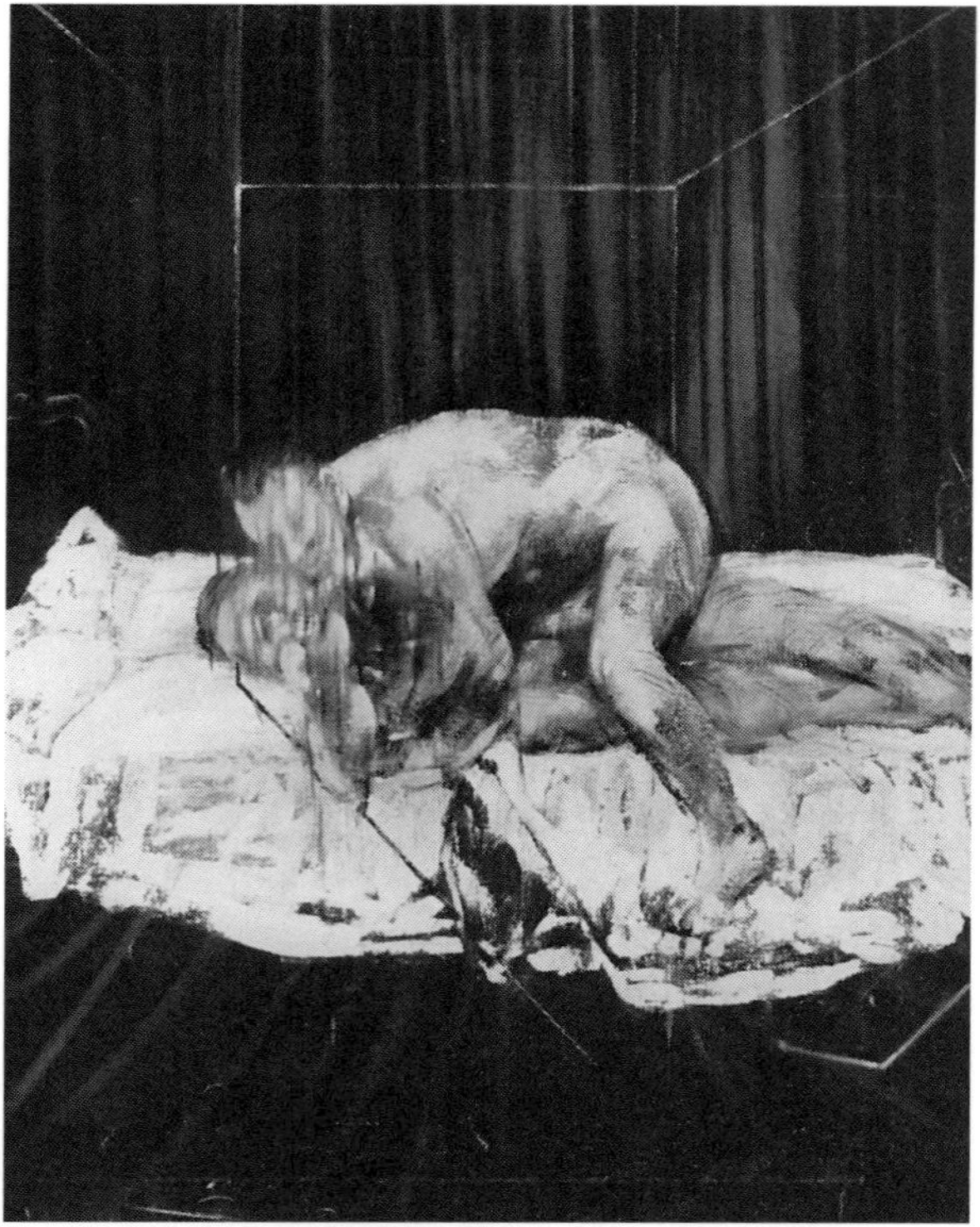

フランシス・ベイコン〔1909年生まれ〕『室内』
ロンドン、ハノーヴァー画廊

フランシス・ベイコンは、同世代の最も重要な画家のひとりに数えられるイギリスの若い画家であるが、ぶっきらぼうな性格を際立たせる数少ない絵によって自己を表現している。

ルネ・マグリット『賢者のカーニヴァル』(1947年)
ブリュッセル、ロベール・ド・ケーン・コレクション

フェリックス・ラビッス『放蕩娘』(1943年)
ピエール・ブラッスール・コレクション

フェリックス・ラビッスは、1905年にドゥエで生まれた。1927年以来、パリとベルギー海岸（オステンド、ル・ズート）で暮らしている。1931年からは、舞台装置や舞台衣装を手がけている。1947年には、アラン・レネが彼のアトリエで撮影した映画の被写体になっている。

J・M・カピュレッティ『ダナイデスの瓶』
ダナイデス：ダナオスの五十人の娘たちの総称。彼女たちは、ヒュペルムネストラという名の娘をのぞいて、父の命令によって、結婚初夜に自分たちの夫を殺害したため、地獄で穴のあいた樽を満たすという刑罰を受けた。

カピュレッティは、1925年にヴァラドリッドで生まれた。遠い祖先はイタリア人であるが、パリに住んでいる。1946年からは、バレーの装置や衣装を手がける。ニューヨーク、サンフランシスコ、パリで展覧会を開いた。批評家たちは、彼をシュルレアリストたちに結びつけている。

フェリックス・ラビッス『マチネー・ポエティック』(1944年)
ジャン・ボレ・コレクション
左から右へ、サド（後ろ姿)、ジャン＝ルイ・バロー、ジャリ、ウイリアム・ブレイク、アポリネール、ラビッス、ピカソ、ロベール・デスノスの姿が見分けられる。

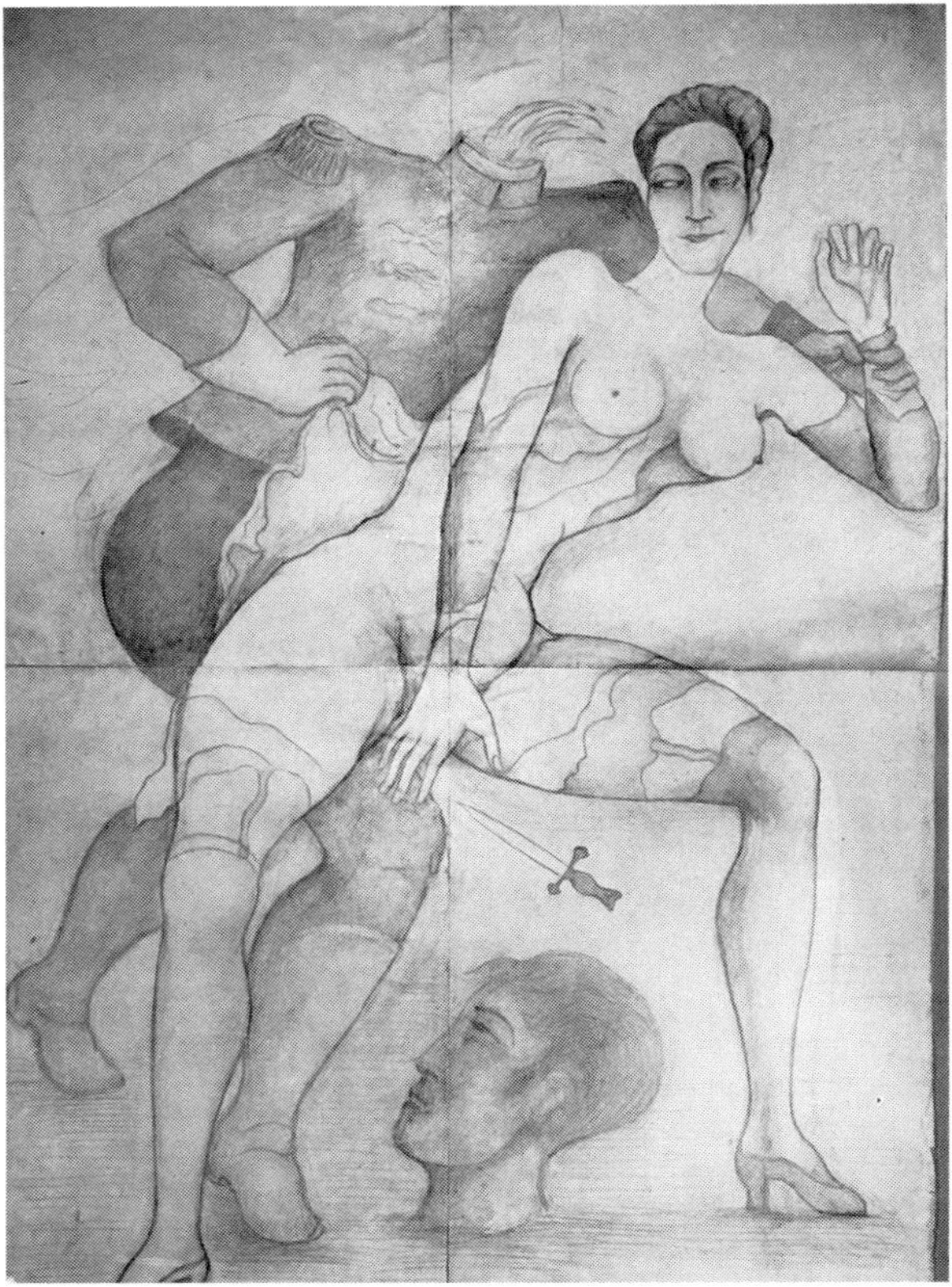

ピエール・クロソウスキー『ロベルトと巨人』（ヴァリアント）

ピエール・クロソウスキー――1905年にパリで生まれた――は、バルテュス（279頁参照）の兄である。彼はとくに著作家として知られている。『わが隣人サド』1947年、『中断された召命』（小説）1950年、『ロベルトは今夜』1953年、『ディアーナの水浴』1956年、『ナントの勅令の廃止』1959年、『プロンプター、あるいは社交劇』（小説）1960年。

ピエール・クロソウスキー『ディアーナとアクタイオン』

ピエール・クロソウスキー『ロベルトは今夜』のためのデッサン

ピエール・クロソウスキー『ロベルトは今夜』のためのデッサン

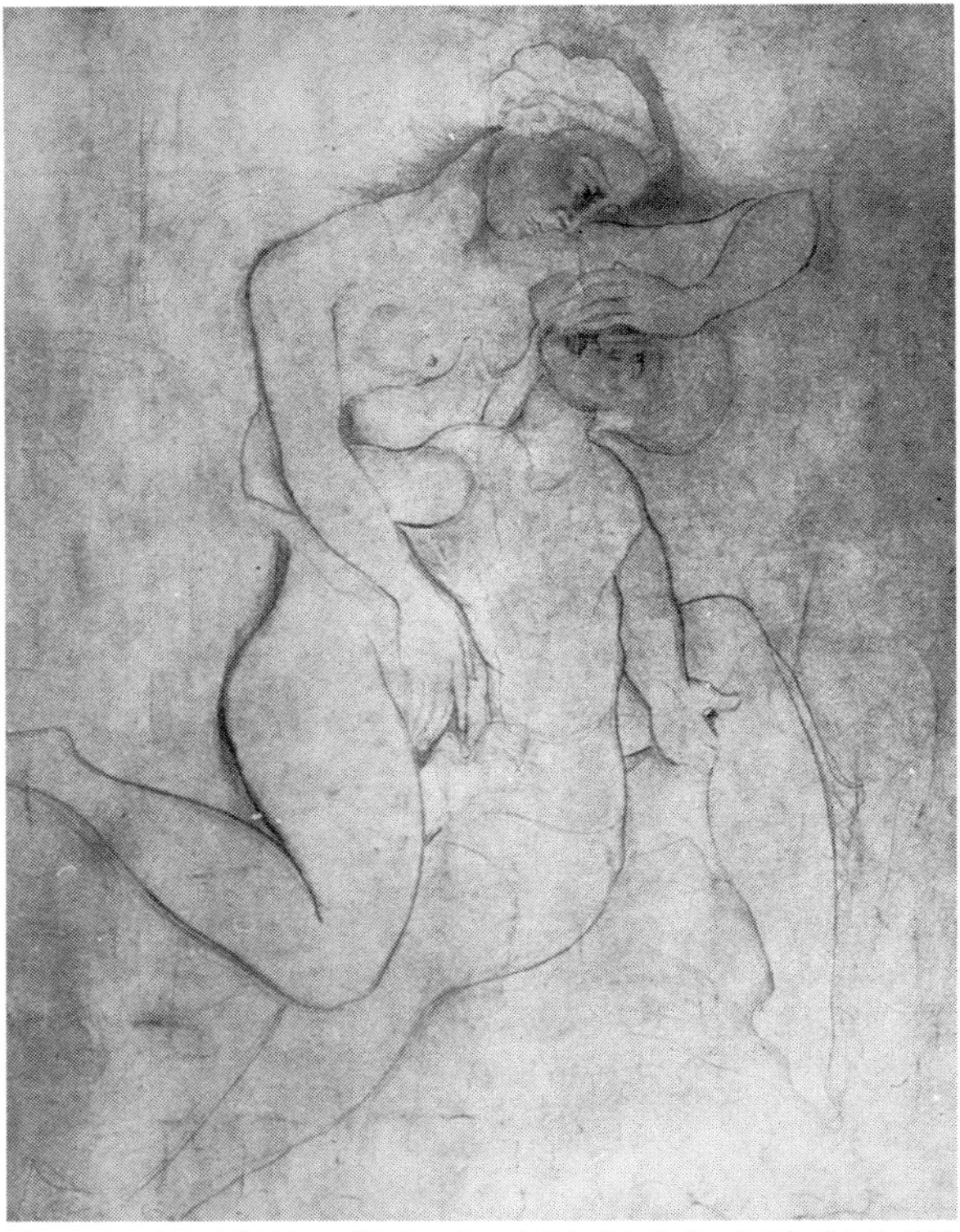

ピエール・クロソウスキー『ルクレティウスとタルクイニウス』のための下描き

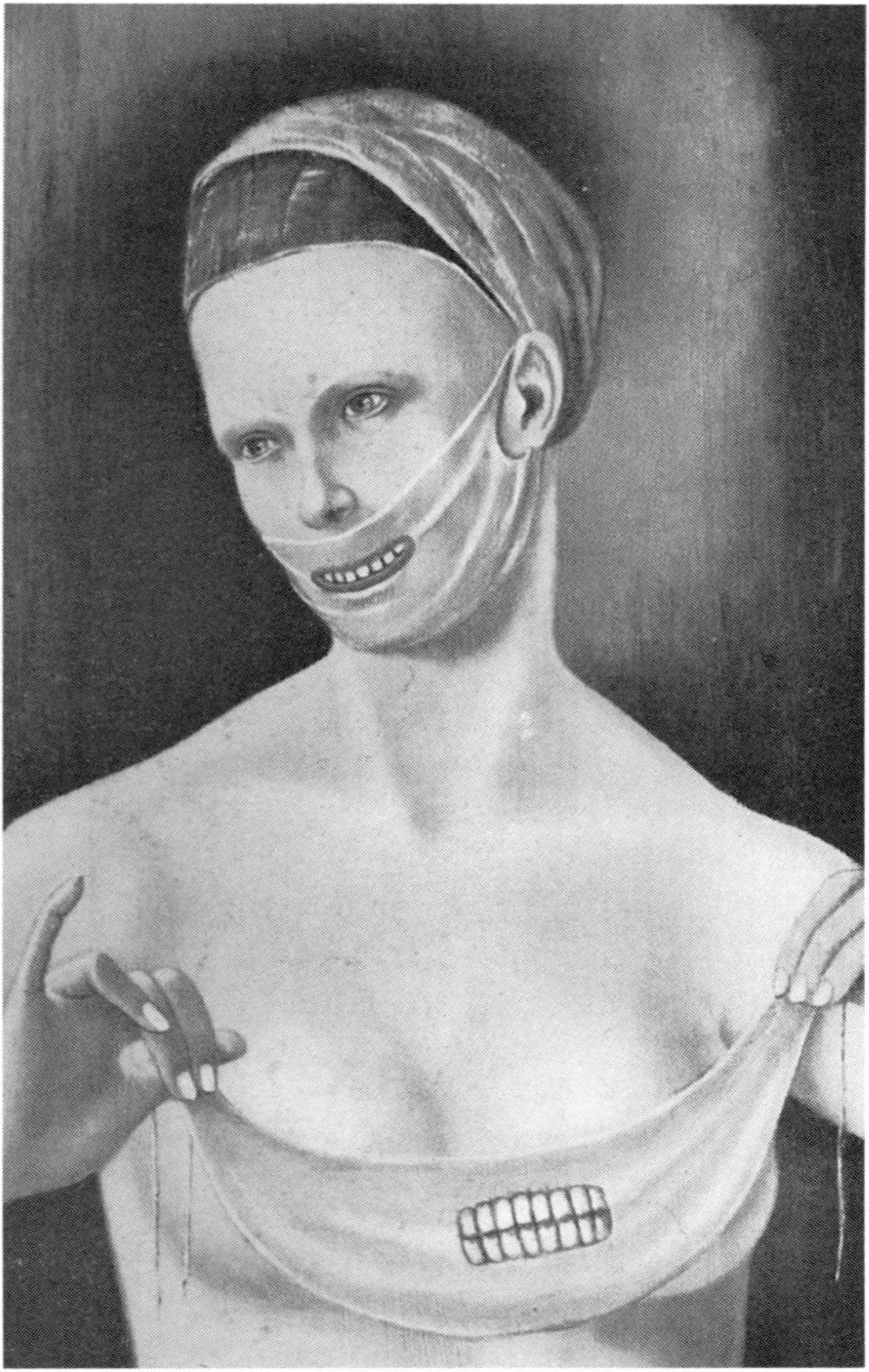

ルプリ『真実の口』(1955年)

クロヴィス・トゥルイユ『墓』(以前には、『サドの墓』)

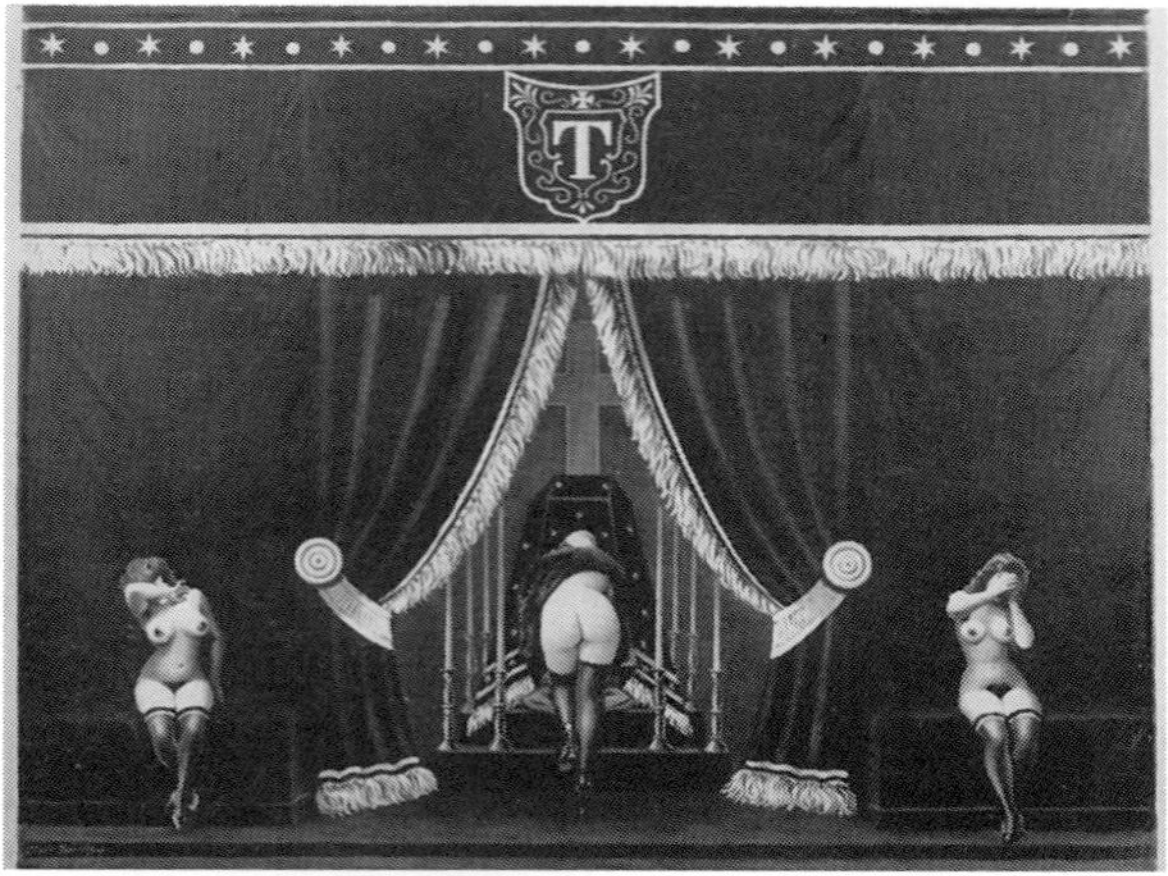

クロヴィス・トゥルイユ『一等室』

クロヴィス・トゥルイユは、1889年にエーヌ県で生まれ、同世代の最も異様な画家のひとりとなった。彼は、クレヴァン美術館に蠟人形を納める工場で長らく働いた。

III　結論に代えて

1　魅惑的な人物たち

私は、先行する二つの章において、無際限のエロティシズムから意識的なエロティシズムへの移行を、見て取れるものにしようとした。

戦争の猛り狂う激しさから表現された悲劇への移り行きは、衰退という意味を持つのであろうか。

戦闘には――人間的に――悲劇の関心を惹くところがあるのであろうか。結局、この疑問は悲痛なものである。

最初の動きは、喜劇の関心を排除することである……。

無際限の激発の感情に、つまり怖れの欠如に、計算を対置すると、われわれは、失墜の感情によって、意気阻喪させられる。

しかしながら、われわれは、それを知っており、われわれは、可能性の豊かさに素早く近寄りはしないのだ。復讐――この冷めたときに食べられる料理――のように、われわれの豊かさの認識は、目を眩まされているけれども明晰なものであって、激しさの鎮静、情熱の相対的な冷えを欲するのである。ある人たちは、二つの時においてしか、自分の可能性の果てに至らない。第一は自分の激発の時であるが、第二は意識の時なのだ。われわれは、意識において失うものの値を見積もるべきであるが、しかし、われわれを閉じ込めている人間性に応じて、意識の明晰さは冷却を意味するのだということに、最初から、気づかなければならない。われわれは、意識に結びつけられたものとして、避け難い失墜を測るのだ……。だからといって、次のような原理が真実であることに変わりはない。すなわち、人間的なものと意識とのあいだに差異を設けることはできないということである……。

意識的でないものは、人間的でないのだ。

われわれは、この根本的な必然性に場を与えなければならない。われわれは、時間の曲折を通してのみ存在することができ、人間的に生きることができるのである。ただ、時間の総体のみが、人生を組み立て、仕上げるのだ。始源において、意識は——情念の激しさの故に——脆弱である。それは、少し後になってから、情念の凪ぎのおかげで日の目を見る。われわれは、激しさを軽蔑することができず、凪ぎを笑うこともできないのだ。

ある明確な瞬間の意味が一挙に現われることがあり得るであろうか。固執するまでもないが、ただ瞬間の継起のみが、おのれを照らし出すのである。一つの瞬間は、諸瞬間の総体との関連によってしか意味を持たないのだ。諸断片を他の諸断片に関連づけないならば、われわれは、その都度、意味を欠如した断片にすぎない。どのようにして、われわれは、完結した総体へと送り返すことができるであろうか。

さしあたって、私にできることは、私が提起したすべての見解に、新しい見解を、そして、可能ならば、最終的な見解を付け加えることだけである。

私は、ある総体の中に入り込んで行くことになるであろうが、その総体の凝集性は、最後に私に対して現われ出ることができるであろう……。

この動きの原理は、ただ直接的な意識だけしか与えられていない明晰な意識の不可能性である。


私は、ただ写真のみが私に知らせてくれるほぼ同時代の形象の上にしばしば私の考察の歩みをとどめようと思う。問題の二人の人物は、自分たちが生きた諸瞬間について、ほとんど意識を持たなかった。第一の人物は、供犠を行なうブードゥー教徒である。第二の人物は、中国の処刑囚なのであるが、その刑罰が死のほかの目的を持っていることは、明らかに、あり得ないのだ……。

私がやってみようと思うことは、レンズが彼らの像を乾板なりフィルムなりの上に定着した瞬間に彼らがなにを生きていたのかを、念入りに思い描いてみるということなのである。

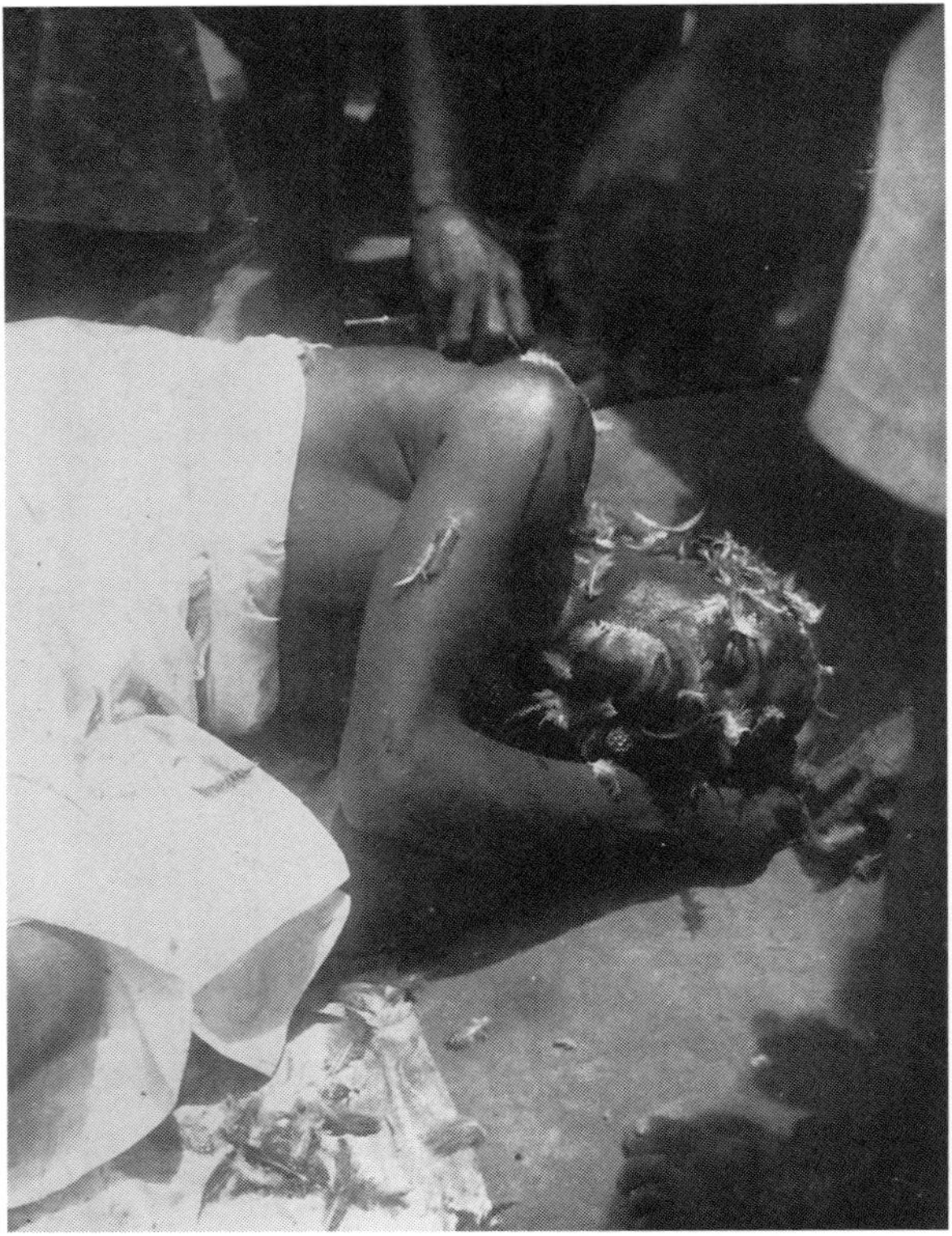

これらの写真は、今日中央アメリカで行なわれているとおりの、ブードゥー教の祭式に関するものである。その祭式は、この地方において、黒人奴隷のあいだで発展した。これらアフリカ系のアメリカ人たちの宗教については、今日の最も優れた民族誌学者のひとりであるアルフレッド・メトローの見事な著作（『ブードゥー教』、ガリマール書店、1955年）が、正確で生き生きとした叙述をわれわれにもたらしてくれる。著者が、ブードゥー教の祭式をよりよく知るために、みずからその手ほどきを受けただけに、いっそう生き生きしたものになっているのである。

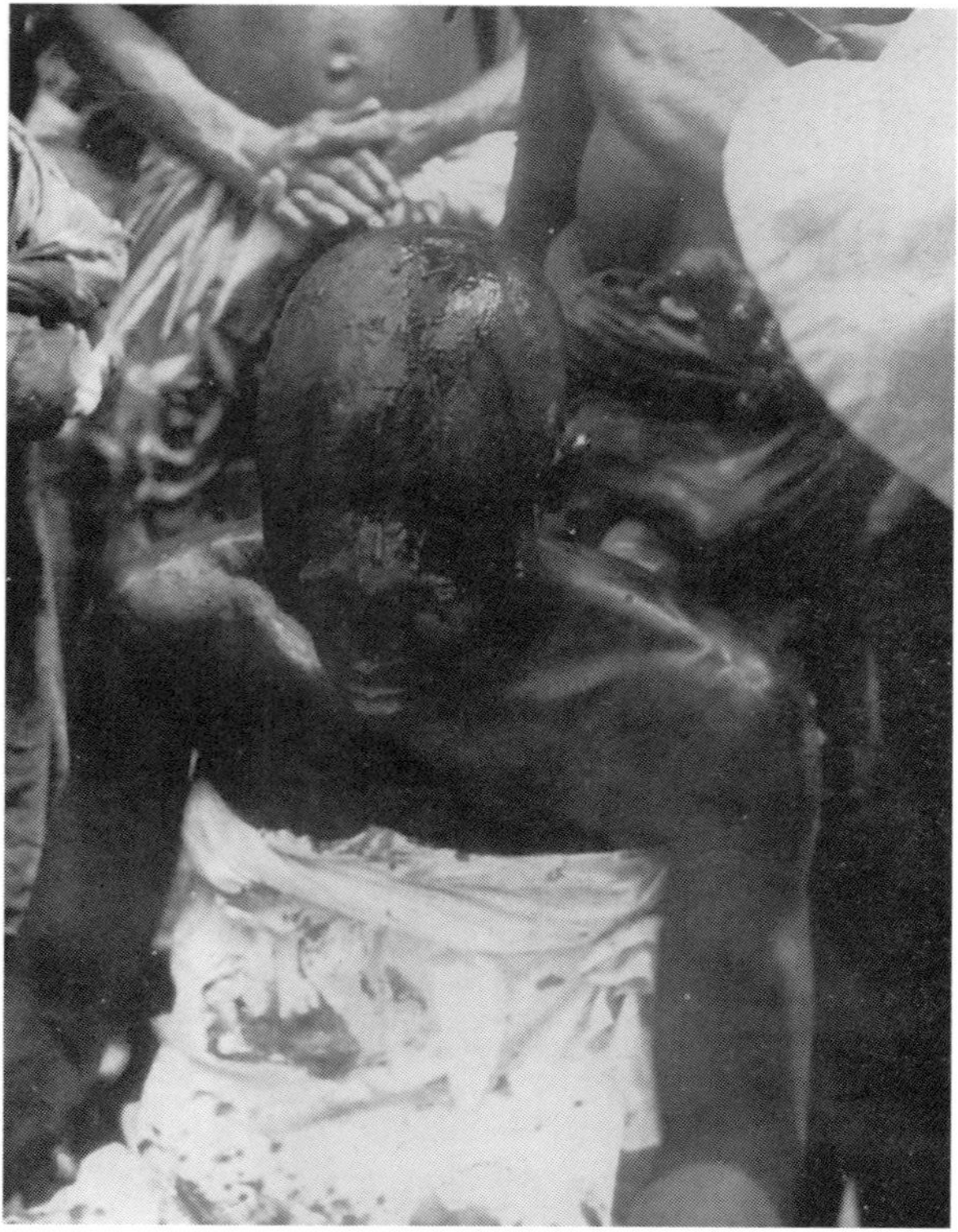

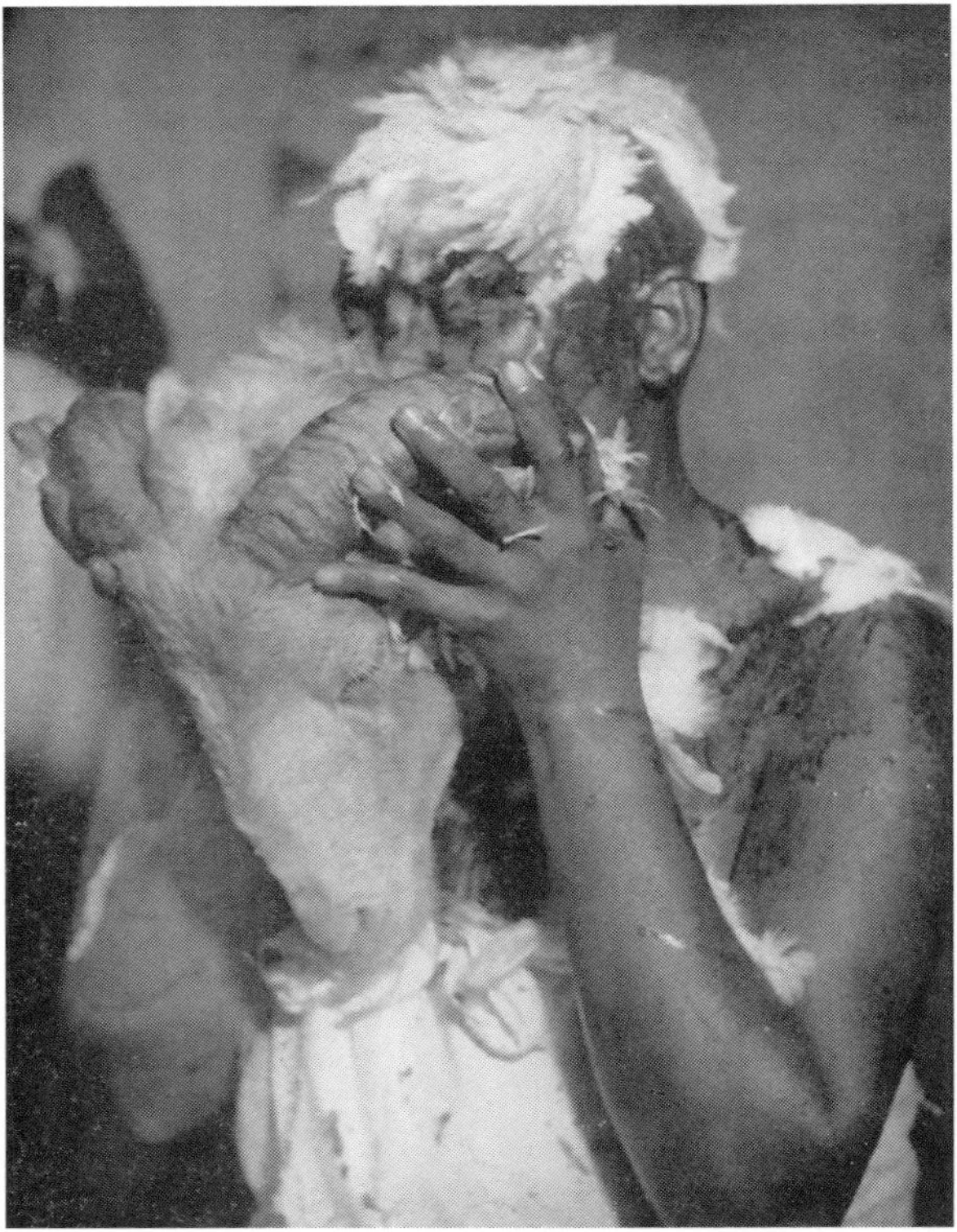

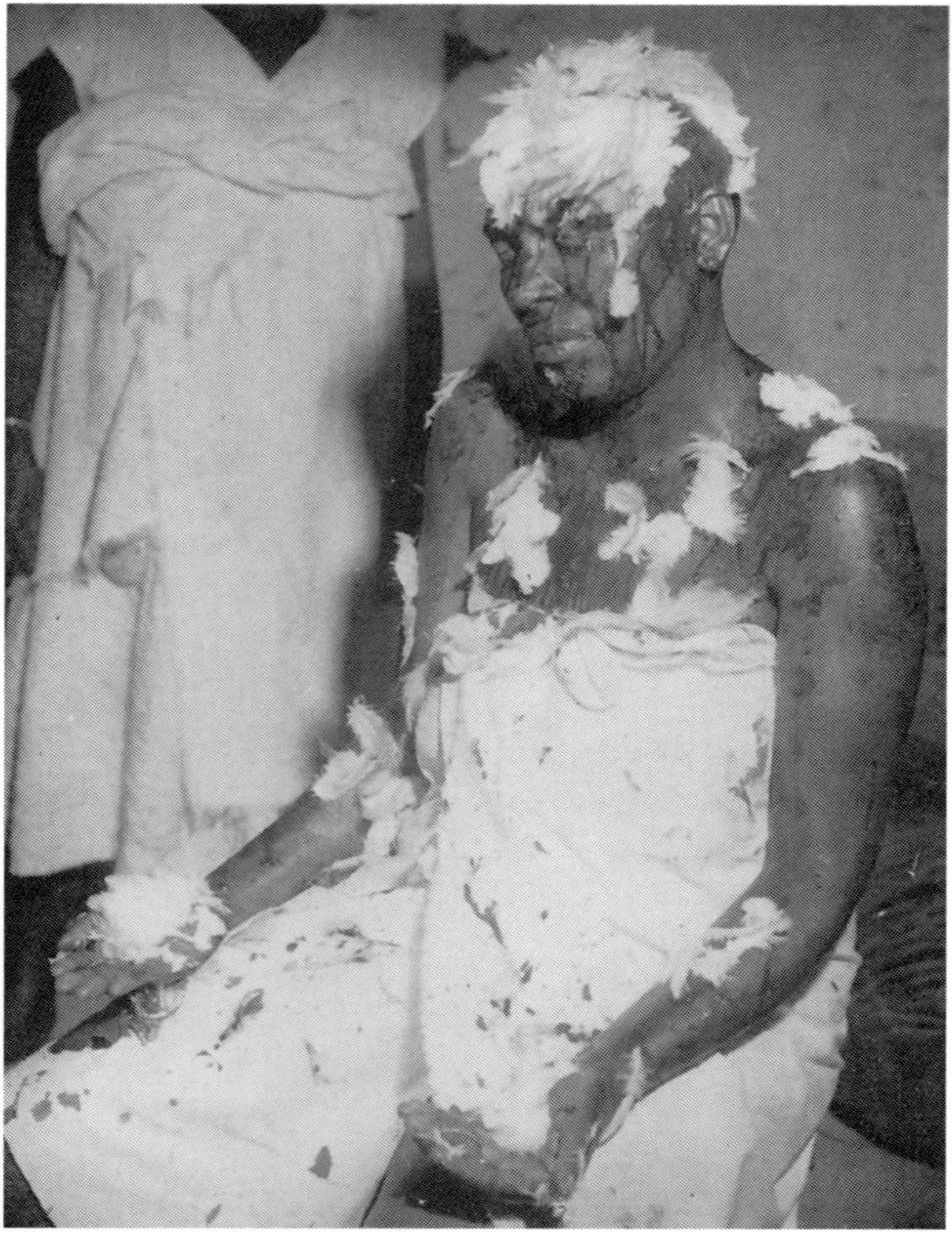

2　ブードゥー教徒の供犠

供犠を行なうブードゥー教徒が生きたものは、一種の恍惚であった。ある意味において陶酔にも比すべき恍惚だったのである。鳥を死に追いやることによって惹起された恍惚だったのだ。こんにちの最も注目すべき――そして、最も有名な――写真家の一人によるこれらの非常に見事な写真に、私としては、なにも付け加えるつもりはない。それらを情熱をもって眺めると、われわれの世界から可能なかぎり遠い世界の中に潜り込むことができるということ以外には……。

その世界とは、血腥い供犠の世界なのだ。

時代を貫いて、人間の目は、血腥い供犠によって、かの日常的現実とは共通の尺度を持たない強烈すぎる現実の熟視へと開かれた。その現実とは、宗教的世界では、聖なるものという異様な名称を受け取っているものなのである。この言葉について、われわれは、正当化できる定義を与えることができない。けれども、われわれのあいだの若干の者は、なお、聖なるものがなにを意味するかを想像する（想像しようと試みる）ことができる。そして、おそらく、そのような本書の読者たちは、これらの写真に対面して、その意味を、供犠の血腥い現実、供犠における動物の死の血腥い現実が彼らの目に表わす像へともたらそうと努めるであろう。像へと……、おそらく、目も眩むような恐怖と陶酔とが組合わされている惑乱した感情へと……。その感情においては、死そのものの現実、死の突然の到来の現実が、生よりも重大な意味、より重大で……、より凍らせるような意味を有しているのだ。

これらの写真は、一部分、デュマとカルポーによって発表された。カルポーは、1905年４月10日に処刑を目撃したと証言している。1905年３月25日、『政報』は次のような皇帝布告を出した（光緒帝の治下)。「モンゴルの諸王は、アオ＝ハン王殺害の罪を犯したフー＝チュ＝リなる人物を火刑に処すべしと要求しているが、帝はこの刑をあまりに残酷なものとみて、フー＝チュ＝リを〈凌遅(刻み切り)〉による緩慢な死に処する。これを尊べ！」この処刑は、満州王朝（1644〜1911)とともに始まったものである。

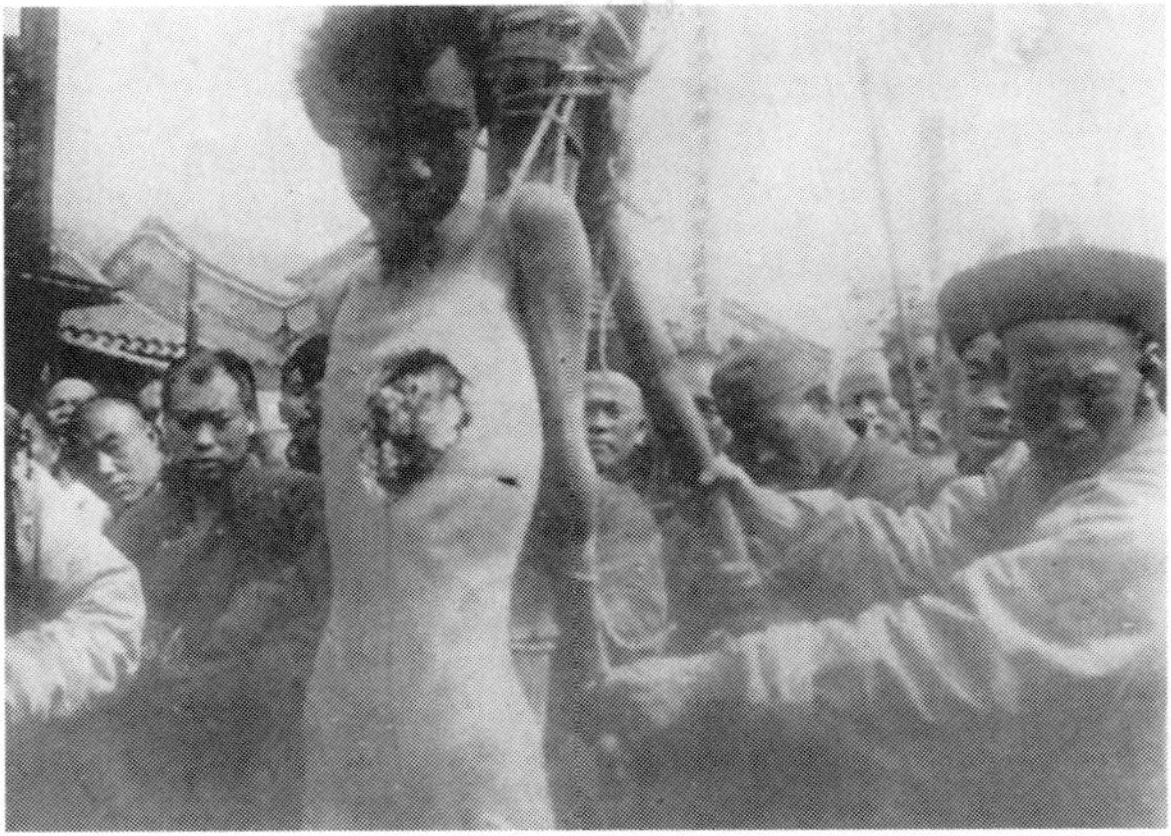

3　中国の処刑

北京での数度にわたる処刑の時に撮影された処刑囚の公然たる像に結びついた世界は、私の知るところでは、光線が定着した像によってわれわれの接し得る世界のうちで最も悲痛なものである。そこに形象されている処刑は、最も重い罪だけに対して執行される百刻みの刑なのだ。これらの写真の一枚は、一九二三年に、ジョルジュ・デュマ[訳註6]の『心理学概論』の中に複製された。けれども、著者は、ひどい誤りを犯して、それを以前の年代のものとみなし、鳥肌立ち、すなわち頭の上に髪の毛が逆立つことの例として、それについて語っているのだ！　処刑を長引かせるために、受刑者は一服の阿片を与えられるのだということが語られるのを私は聞いた。デュマは、犠牲者の表情の恍惚的な様子について強調している。もちろん、おそらく少なくとも部分的には阿片に結びついている否認し難い様子が、写真の像の持っている悲痛なところに付け加わっているということを、私は、言い添えておこう。私は、一九二五年以来、これらの写真の一枚（三〇七頁に掲載）を所有している。それは、フランスの精神分析学者の草分けの一人であるボレル博士からもらったものである。この写真は、私の人生において、ある決定的な役割を持った。私は、この恍惚的（？）であると同時に耐え難い苦痛の像によって付き纏われることをやめなかったのである。私は、サド侯爵が、夢想しながらも彼には接し得ないものであった現実の処刑に立ち会うことなしに、処刑の像から引き出したでもあろう利用法を想像する。彼は、その像を、なんらかの仕方で、たえず自分の目の前に持つというわけなのだ。けれども、サドは、孤独の中において、少なくとも、相対的な孤独の中において、それを見ようとしたでもあろう。その孤独なしには、恍惚的で悦楽的な解決策は考えられないのである。

ずっと後になって、一九三八年に、ある友人が私にヨガの行法の手ほどきをしてくれた。私が、この像の激しさの中に、無限の倒立的な価値を見抜いたのは、その機会においてであった。この激しさ――こんにち、なお、私は、より狂おしく、より恐ろしい別の激しさを思いつくことができない――に発して、私は、非常に動転させられたので、恍惚に達したほどである。ここで私が意図しているのは、ある根本的な関係、すなわち、宗教的恍惚とエロティシズム――とくに、サディスム――との関係を明らかにすることである。最も打ち明け難いものから、最も高所のものへの関係である。本書は、すべての人間の経験である限界つきの経験の中で生み出されたものではない。

私は、そのことを疑うことができないのであった……。

突如として私に見えてきて、私を苦悶の中に閉じ込めてしまったもの――しかし、同時に、そこから私を解放してくれたもの――それは、神々しい恍惚に極度の恐怖を対置する完璧な反対物の同一性であった。

私の意見では、エロティシズムの歴史の避け難い結論は、このようなものなのである。けれども、私は、次のことを付け加えなければならない。エロティシズムは、その固有の領域に限定されたならば、かの宗教的エロティシズムにおいて示される根本的な真実、すなわち恐怖と宗教的なるものとの同一性に接することができなかったであろう。宗教は、総体的には、供犠を基盤とした。けれども、ただ果てしない迂回によってのみ、反対物が明らかに結びついた姿で現われ、われわれの承知したとおり、供犠において示される宗教的恐怖がエロティシズムの深淵に、ただエロティシズムによってのみ輝き出る窮極的な嗚咽に結びつく瞬間に接することができるようになったのである。

恐怖の伝統 （以下の頁を参照）

アステカ族の人間の供犠、1500年頃。

アステカ族の供犠のあとでは、〈征服〉による暴行。

首切りの失敗『モンマス公ヤコブ、首を切られる』、ヤン・ルイケンの版画(1711年)。 ヘンリー・カーンヴァイラー・コレクション

『七人の息子を奪われた女』、ヤン・ルイケンの版画（1711年）。
ヘンリー・カーンヴァイラー・コレクション

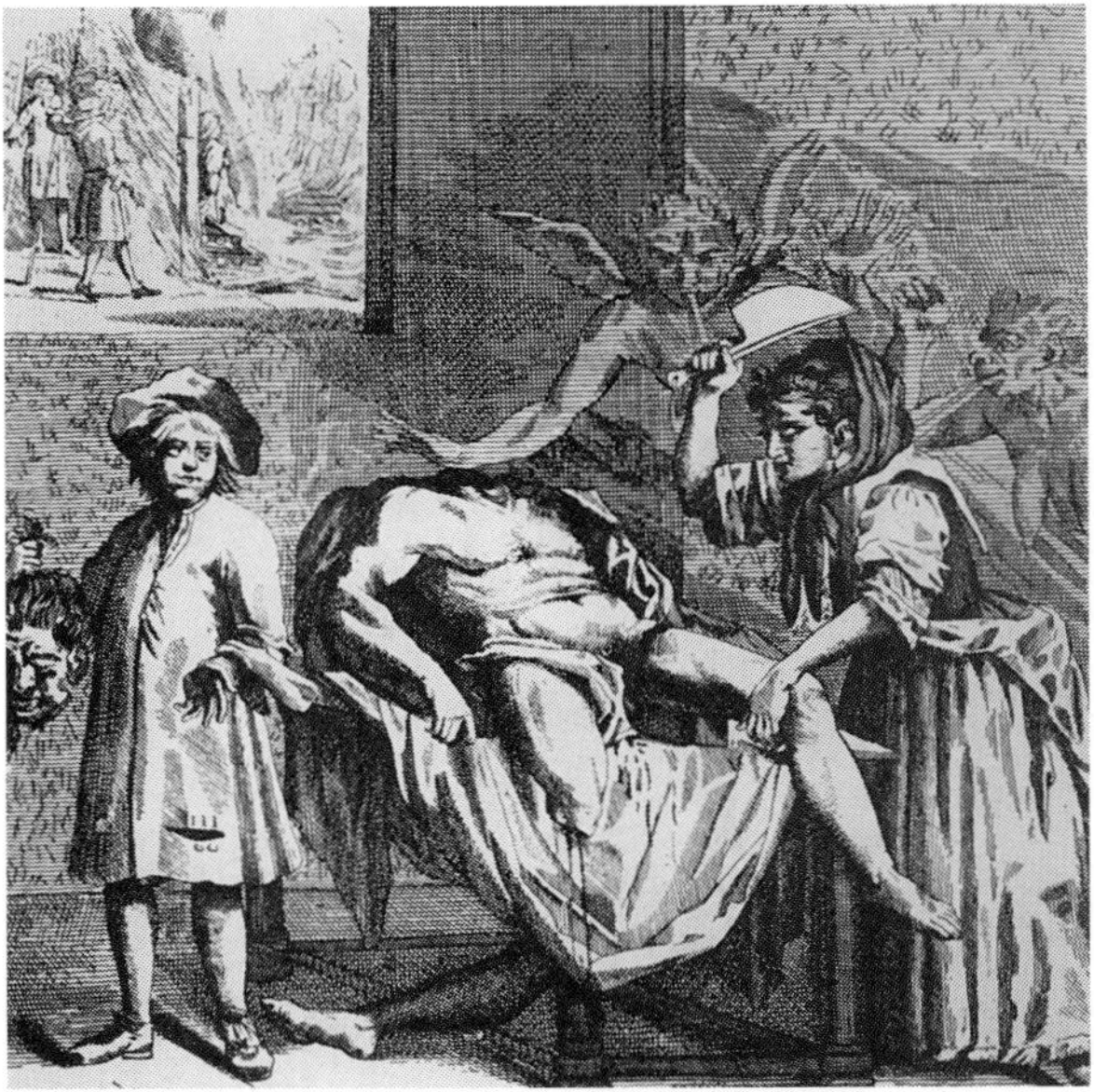

『恋の行き過ぎ』、イギリスの版画（メアリー・オーブリー）。
〔パリ〕、国立図書館

恐怖とエロティシズム……イ・ダムとその神妃シャクティ、チベット芸術〔パリ〕、ギメ美術館

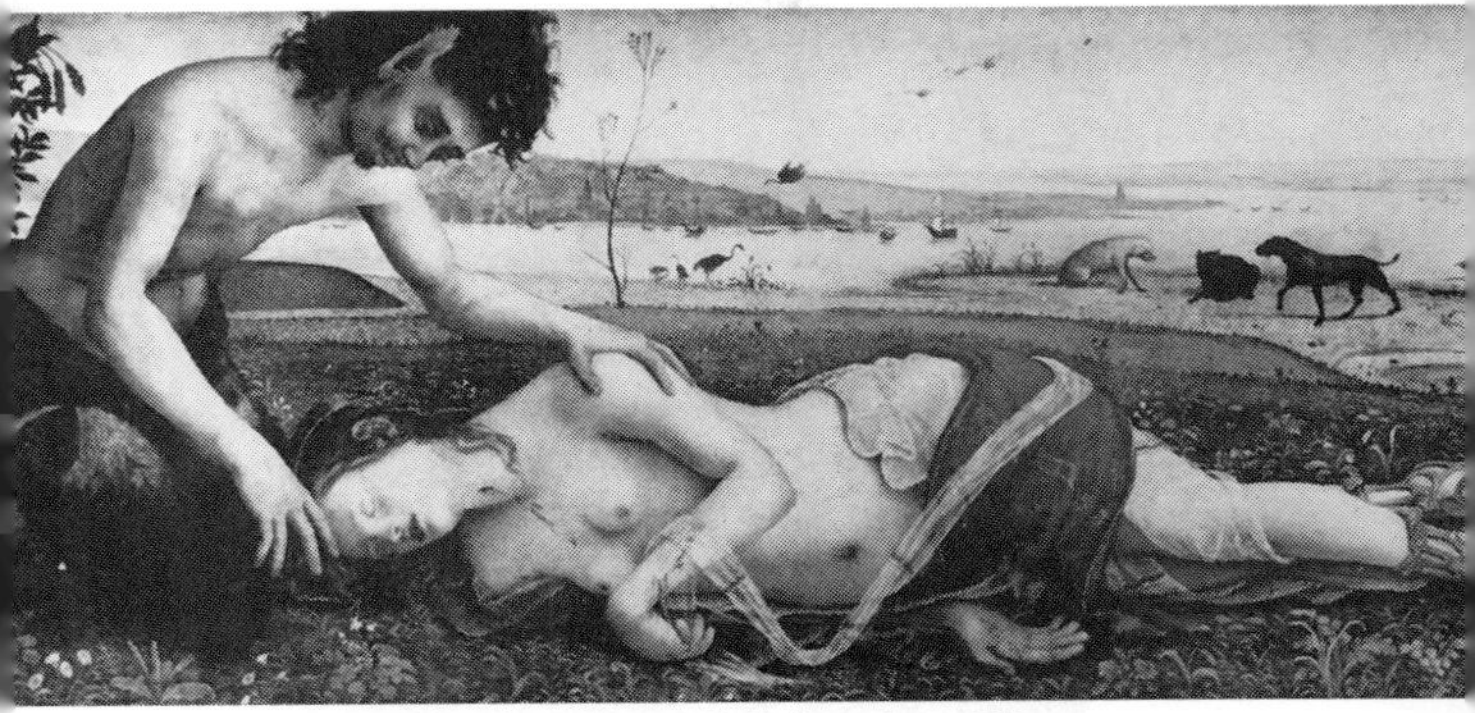

ピエロ・ディ・コジモ〔1461/2〜1492〕『プロクリスの死』
ロンドン、ナショナル・ギャラリー

中国の処刑（307頁参照）に創作意欲をかきたてられたスペイン人ホセ・グティエレス＝ソラナ（1886〜1945）の有名な絵（『中国の処刑』）

バルナ・ダ・シエナ〔14世紀前半〕『幼児虐殺』
サン・ジミニアーノ、僧会聖堂

註

（1）中石器時代というのは、《古い石器》（旧石器時代）と《新しい石器》（新石器時代）あるいは《磨製石器》との中間の《中の石器》ということに関係がある。

（2）私は、この絵画を、『エロティシズム』の中に複製した。

（3）旧石器時代の終わりごろ、そして、おそらく、旧石器時代から新石器時代への過渡期、すなわち中石器時代の途中。

（4）大雑把にいって、フランスの南西部とスペインの北部。

（5）たとえ売春が最初から必然的に堕落的な形態ではない（宗教的売春、聖なる売春の場合）にしても、それは、隷属的悲惨から、早急に安淫売に行き着く。

（6）『精神現象学』（一八〇六年）の中で。

（7）ギリシャにおいては、少なくとも、富によって支えられない出生は、法的な意味を持っていなかった。

（8）猥褻の放つ照明は、犯罪の照明と同様に、不気味である。

（9）おそらく、私の述べていることは、さしあたり、よく理解されないであろう……。けれども、もう待たずに、私は読者を私の書物の諸章へと送り返さなければならない。

（10）このような宗教の意味に関する原理の主張の後で、はじめて、ディオニュソス的宗教の総体の叙述が意味を持つに至るのである。宗教に道徳の意味を与えることは普通に行なわれていることであるが、道徳というものは、一般に、行為の価値をその結果に依拠させる。ところが、宗教においては、行為は、本質的に、その直接的な価値、すなわち聖なる価値を持っているのだ。たしかに、聖なる価値を効用性の方向において用いる（このとき、この価値は力と同一視されている）ことは（広い尺度でいって）可能である。けれども、だからといって、聖なる価値が、その原理において、直接的な価値であることに変わりはない。それは、まさに、われわれが、効用的価値から窮極的価値へ、すなわち、その瞬間より後のあらゆる結果から独立の価値へと移行する変貌の瞬間においてしか意味を持たないのだ。それは、根本的には、審美的価値である。カントは、この問題の立場を見たのだが、おそらく、彼の主張の中には、（彼の立場が、判断の中において、効用性についての反効用性的な事前の一致を前提としているということを、彼が見なかったとすれば）、逃げ道がある。

(11) 私は、取り急ぎの叙述の中で、それらの事実を、総体において、表現しなければならない。

(12) ぎりぎりのところでいえば、キリスト教に（少なくとも、キリスト教とは反対の悪魔主義というものに）エロティックな関心を向ける漠然たる残存物が存在する。けれども、悪魔主義は、ユイスマンス以来、彼が十九世紀の末に『彼方』の中で描いたような今日的な価値を失った。私の知り得るかぎりでは、残存物は、もはや、商業的に組織された喜劇でしかない。

(13) 少なくとも、千年ぐらい。それに、紀元前六世紀のディオニュソス教が、すでに、きわめて古い時代の習慣を延長しているというのは、ありそうなことである。また、私のすでに言及した悪魔主義が、総体的に、ディオニュソス信仰の存続に結びつくということも、あり得ることである。

(14) 私自身、子供のときに、肉屋の女将の庖丁が家の前で屠殺している仔山羊の泣き声を、悲痛な思いに満たされて、聞いた。

(15) けれども、重要な例外が一つある。すなわち、サドである。私は、後に、それに触れるつもりである。

(16) ダンテでさえ、エロティシズムを地獄の中へ追いやった。けれども、ダンテの詩の中のパオロとフランチェスカは、地獄の底で、崇高な愛に到達する。

(17) ミケランジェロとグレコを除いて。しかし、ここで私はエロティックなマニエリスムについてだけ語っているのであるが、私の感ずるところでは、エロティシズムはマニエリスムの本質的なところに触れている。したがって、私は、ここで、グレコが、どの程度、そして、どのような仕方でマニエリスムに結びついているのかを語らねばならない。彼は、フォリノの聖女アンジェラやアヴィラの聖女テレジアの神秘主義が激化したキリスト教に結びつくのと同じ仕方で、マニエリスムに結びつくのだ。そのようなキリスト教においては、未来への配慮——それは、本質的に、キリスト教の基礎をなすものであるが——が、現在の瞬間（それは、私のすでに述べたとおり、激しさに、エロティシズムの強烈さに対応するものなのだが）への配慮に余地を残しているのである。

(18) アントワーヌ・カロン（一五二一年ボーヴェ生まれ、一五九九年パリ歿）は、フォンテーヌブロー派で、プリマティッチョの指導のもとに育成された。彼の絵画は、ニコロ・デッラバーテの様式に結びついているけれども、彼の〝狂気〟は、彼の師匠たちや彼に霊感を与えた画家たちの枠を大幅にはみ出る。

(19)『閨房哲学』は、恐怖を冗談に結びつけている面白い書物である。

(20) 監獄の庭にギロチンが立てられていた。

(21) G・バタイユ『エロティシズム』を見よ。

(22) ゴヤは、サドより六年後にスペインで生まれ、彼より十四年後にフランスで死んだ。ゴヤが完全な聾になったのは、一七九二年、ボルドーにおいてである。

(23) しかしながら、物語によって、想像の中で満足を得ようという決心をしたのは、後に、獄中においてでしかない。おそらく、果てしない拘禁へと導く原因となったらしいマルセイユ事件も、現代ならば、それほど重大な結果をもたらしはしなかったであろう。〔マルセイユ事件とは、一七七二年六月二十七日にサドがマルセイユの私娼窟で行なった行為に対して、毒殺未遂と男色の罪にとわれた事件である。サドは、これより先、すでに一七六八年のいわゆるアルクイユ事件で投獄されている。〕

(24) G・バタイユの序文つきの資料『ジル・ド・レー裁判』参照。

(25) エルジェーベト・バートリについてのヴァレンティーヌ・パンローズの著作が、メルキュール・フランス社から刊行された。

(26) 若いころのセザンヌにも、同様の傾向が滲み込んでいる。彼の《オランピア》は、際立った突飛さによって、マネの《オランピア》に対抗しようとしたものだが、結局のところ、マネのものより説得力を持っているわけではなかった（マネの方が、性的魅力の強烈さに応ずるために、より多くの真実、より多くの異様さを見出したのである）。

(27) 私は、サルヴァドール・ダリのことを語っているのだ。彼の絵画は、かつては、燃えるように熱いものと私に思われたが、今日では、ほとんど、そのわざとらしい技巧ばかりが目につく。けれども、この画家自身は、彼自身のわざとらしい技巧の燃えるように熱いと同時に滑稽な異様さに捉えられるがままに身を委ねたのだと私は思う。

(訳註1) 一三三二〜一四〇六年。アラブの歴史家。

（訳註2）緑色のバルドゥング。ハンス・バルドゥングのこと。美しい緑色を好んで使ったために、デューラーから、この綽名を受けた。

（訳註3）フランソワ・ブーシェ。一七〇三〜一七七〇年。ロココ様式の代表的画家。

（訳註4）サドは、一七九三年に、《穏健主義者》の嫌疑で逮捕され、十箇月あまり、革命政府下の獄にいた。

（訳註5）一三七一〜一四三五年。フランスの女王。一三八五年にシャルル六世と結婚し、彼を快楽追求に引き入れた。王の発狂後、オルレアン公ルイと結び、国内の混乱、内戦から、ついにイギリスの侵入を招き、敗戦をもたらすに至る。

（訳註6）一八六六〜一九四六年。フランスの学者で、哲学、心理学、医学にわたる業績がある。

図版目次

訳者あとがき

本書は、ジョルジュ・バタイユ（一八九七〜一九六二）の《Les Larmes d'Eros》の翻訳である。彼の最後の著書となった同書は、死の前年にジャン・ジャック＝ポーヴェール社から刊行されたが、その後、協力者だったJ＝M・ロ・デュカによる「遥かなるジョルジュ・バタイユ」と題する巻頭解説文と彼に宛てた十余通の未発表書簡を加えた増補版が、十年後の一九七一年に同社から刊行され、さらに、一九七八年には《10×18》叢書の一冊として、図版を除いた新書版のかたちでの普及版も世に出た。

未発表書簡の冒頭に据えられた一九五九年七月二十四日づけの手紙の末尾に添えられている〝追伸〟には、「いまや、私の本のための最良の標題は『エロスの涙』だと、私には思えます」と記され、「ポーヴェールも大いに気に入ってくれるでしょう」と書き継がれているのが目につく。翌年の三月五日づけの手紙には、「私はそれを、これまでに私が出版したどの本よりも見事なものにしたいのです」と書かれ、その年の暮の十二月十六日づけでは、「私の健康が、今くらいに——極限状態に——とにもかくにも維持されるならば、それは、私が書いたもののなかで最も良い本であると同時に最も親しみやすい本になるに違いないと私には思われます」とも述べられている。

ところで、訳者が、そのような事情を知る由もなく、バタイユの手になる本文だけが豊富な図版とともに掲載された初版本の翻訳を試みた結果として現代思潮社版の『エロスの涙』が登場したのは、一九六四年のことであった。その後、一九七六年には判型を改めた新版が同社から出たし、一九九五年には、樋口裕一氏の手になる訳書がトレヴィル社から出版されている。

今回の翻訳は、それらを視野に置きつつも、新しい世紀を展望して、《ちくま学芸文庫》に収めるべく、あえて〝新訳〟を目指したつもりである。それというのも、本書の翻訳は、わが生涯において忘れ難いものだからである。まことに私的な述懐になって甚だ恐縮であるが、いささか思い出を語らせていただきたい。若年のころ、新聞記者稼業のかたわら手がけたメルロー＝ポンティやルフェーヴルといった現代フランス思想家の著作の翻訳は、すでに何冊か世に出ていたとはいえ、大学に転職して最初の翻訳の仕事が『エロスの涙』だったともいえるのだ。近年《ちくま学芸文庫》に収められたロラン・バルトの『エクリチュールの零度』が『零度の文学』という題で現代思潮社から出たり、サルトルの『弁証法的理性批判』の第二部が人文書院から出たりしたのは、翌年の一九六五年のことであった。ここで、バタイユに関するロ・デュカの次のような言葉を引用しておきたい。「彼に哲学者という名を貼りつけるのには嫌悪を感ずるにもかかわらず、彼の詩的な言葉遣いを忘れなければならない。彼の心的な領域について語るものとして、つねにより多く私を納得させたのは、そのような言葉遣いの方なのだが……。」

さて、『エロスの涙』からの引用が最初に登場した拙稿は、筑摩書房の月刊誌『展望』（一九六五年四月号）に掲載された「セックスの形而上学」であった。この拙稿などを収録して五年後に刊行された拙著『沈黙のエロス』（現代思潮社）は、その後、一九九一年に《原点叢書》（ファラオ企画）の一冊として再刊された。この拙稿の中で、「その連続が、たんに切断された両者の合体ではなくて、人間を存在自体へと全般的に結びつけるものであり、したがって死への回帰であるとすれば、われわれは仏教における涅槃を想起せざるを得ず」と述べて、「フロイトの認めたニルヴァーナ原則」にも言及したあたりは、ロ・デュカの次のような言葉に響き合うであろう。「涅槃があり、マイトゥナ（性的結合）がある。それらは、《天国的》な思想という非人間的な語り口とは対極的なものである。まことに、涅槃は、仏陀の死であり、肉体的な生命の無化であると同時に、バタイユの親昵する《小さな死》でもあるのだ。」

なお、『沈黙のエロス』に収録された別の拙稿「性と暴力の人間図式」は、別冊『潮』（一九六九年夏季号）に掲載されたものであるが、そこでは、バタイユがデリダとのかかわりにおいて取り上げられていることに注意を喚起しておきたい。デリダの『エクリチュールと差異』に収録されているバタイユ論たる「限定経済から一般経済へ」が論拠となっているのだ。このようなことを書いておく気になったのも、このほど《ちくま学芸文庫》に入ったデリダのラジオ放送『言葉にのって』の訳者の一人であり、やはり《ちくま学芸文庫》に入った『デリダから道元へ』の著者でもある本書の訳者の私的な恣意にすぎないと思われるならば、切に御寛恕を請うほかはない。

最後に、本書の重要な要素をなしている図版の説明の翻訳および全体の解説の労をとっていただいた林好雄、編集の作業にたずさわっていただいた伊藤正明の両氏に深甚なる感謝の意を表しておきたい。

二〇〇一年初春

森本和夫

解説

林 好雄

その写真のことは思い出したくなかった。その本は捨てたと思っていた。だから、この「解説」を書くことになって、自分の書棚にその本を見つけたときには、驚愕した。自分の目が信じられなかった。考えられることは二つしかない。捨てたものと思い込んでいたが実は捨てていなかったか、一度捨てたものの、再び買って、そのことを忘れていたかだ。ともかくも、それはそこにあった。

その写真、一九二五年にその最初の一枚を見て以来、彼の生涯に影のようにつき纏うことになった写真、その「恍惚的（？）であると同時に耐え難い苦痛の像」に比べれば、キリストの磔刑図がとたんに色褪せてしまったその写真について、バタイユは、本書の中で、「ここで私が意図しているのは、ある根本的な関係、すなわち、宗教的恍惚とエロティシズム——とくに、サディスム——との関係を明らかにすること」だと述べている。

彼が惹きつけられているのは「百刻みの刑」に処されている中国の処刑囚の像なのだか

ら、一見して、サディスム＝マゾヒスムの混交が見られるのではなかろうか。バタイユは、『エロティシズムの歴史』（湯浅博雄・中地義和訳、哲学書房）に付された註において、マゾヒスムを「サディスムの過剰に――つまり主体の残酷さがついに最終的には主体自身へと移行することになるサディスムの過剰に呼応するもの」だと見なしている（一方、ジル・ドゥルーズは、マゾヒスムの契約的、訓育的性格を強調している）。サディスムの基本が性行為《セクシュアリテ》における「パートナーの否定」（『エロティシズム』澁澤龍彥訳、二見書房）にあるとしても、サディスムの過剰は、最終的には主体自身の否定をもたらすわけである。

　こうした主体＝客体の解体は、宗教的供犠と祝祭の本質でもあって、バタイユは、「ヘーゲル、死と供犠」（『純然たる幸福』酒井健訳、人文書院）の中で、「供犠において、供犠を執行する者は、死にみまわれる動物と自己を同一化する。そのようにして彼は、自分が死ぬのを眺めながら、死んでゆく」と言っている。客体である犠牲の破壊と解体が主体の恍惚《エクスターズ》（＝脱自）を引き起こすのであり、バタイユは、その写真のうちに、《聖なるもの》を熟視しているのだ。

　『エロスの涙』（一九六一年刊）は、ジョルジュ・バタイユ（一八九七～一九六二）の最後の著作であり、彼の命を奪うことになる病の苦しみの中で書かれた。ともに一九五五年に出版された芸術論『ラスコーあるいは芸術の誕生』『マネ』や『ジル・ド・レー裁判』(一九五九年刊)が背景にあって、本書の記述を確かなものにしている。また、主題の上からは、『エロティシズムの歴史』(『呪われた部分——一般経済論の試み』の第二巻として構想されたが未刊のまま放棄され、死後一九七六年に出版された)や『エロティシズム』(マルグリット・デュラスとの対話の中で、バタイユは、これが『呪われた部分』の第二巻にあたると言っている。一九五七年刊)に引き続くものだと考えられるが、文体の緊密さと熱気の点では、むしろ、第二次世界大戦中に書かれた『無神学大全』に近い(実際、『無神学大全』第一巻『内的体験』、第二巻『有罪者』では、あの「中国の処刑」の写真について言及されている)。

言ってみれば、戦後のバタイユの仕事は、非合理的神秘主義者というみずからのレッテル(サルトルは、バタイユを「新たなる神秘家」と呼んだ)に対して、敵の言語である論証的言述《ディスクール》を用いて反論することが可能だという信念に基づいてなされた。何より人間存在の根底にエロティシズムがあるという確信があったし、それは、歴史的にも、哲学的にも、充分に論証可能だと思われた。そもそも彼の《非 - 知》の思想は、フロイト、マルクス、モース、ニーチェ、ヘーゲル、ハイデガーらの思想との批判的対決の中から生み出されたものであり、敵の土俵で戦う自信はあった。『呪われた部分——一般経済論の試み』

三巻や『宗教の理論』(一九七四年刊)は、そうした文脈の中で書かれたのである。

しかし、『エロスの涙』においては、驚くほど数少ないことしか言われていない。「始まり」に(つまり先史時代において)、人間にとって、エロティシズムの誕生が死の意識と不可分に結びついていること。動物は、死もエロティシズムも知ることはない(ハイデガーもまた、動物は「死としての死」にはかかわりがないと言っている)。「終わり」に(人間の歴史の大半)、エロティシズムと宗教的恍惚との根本的な関係、とりわけ禁止の侵犯が意識的エロティシズムの本質であること。この観点からすると、キリスト教によるエロティシズムの断罪は、逆に侵犯の価値を高める結果となった。

そこでは、エロティシズムを人間の活動の「諸資源の無益な消尽」(『エロティシズムの歴史』)とみなす一般経済論についても、『エロティシズム』における《連続性=非連続性》の理論(人間は、動物から人間になることによって非連続な主体となった。エロティシズムの起源には、「失われた連続性への郷愁《ノスタルジー》」がある)についても語られることはない。エロティシズムの理論がエロティックであることは難しいし、至高性について語る論証的言述が至高性を帯びることは稀である。それに、もし成功して、人間のエロティシズムには充分な理由があることが証明され、エロティシズムが市民権をもつようなことにでもなれば、それは、むしろ、エロティシズムの首をしめることになるのではなかろうか。

バタイユは、『エロスの涙』のための「追伸」の草稿（ガリマール版『ジョルジュ・バタイユ全集』第十巻［一九八七年刊］に収録されている）をいくつか遺しているが、そのひとつには、こう書かれている。

私の目には、私の著作のうちで最も重要なものに見える著作を紹介する以下の頁において、私は、私の省察がそこから生じることになるあるひとつの原理について語ろうとは思わない。そうではなくて、私の思考が他の人たちの思考から、とりわけ哲学者たちの思考から遠ざかるように見えるのは、どのようにしてなのかという点について、ここで述べてみたいのだ。まずはじめに言わなければならないが、私は怖い。そして（ここで草稿は途切れている）

すでに、『エロティシズム』に収録された講演「聖性、エロティシズムおよび孤独」（一九五五年春）の中でも、バタイユは、「哲学の言葉」（彼自身が語る言葉もそれだ）は「死んだ言葉」であり、「哲学とは言葉の死刑」（言葉の「供犠」）だと述べるとともに、彼が語りたかった言葉は「ゼロに等しい一つの言葉、無の等価物である言葉、沈黙に帰る言葉」（ロラン・バルトの『エクリチュールの零度《ゼロ》』［一九五三年］以来、われわれには親しい概念である）だと言っていた。ここで「哲学」と呼ばれるものが、ある真理だとか原理に対する誠実であるかぎり、論証的言述（という制度）の論証的言述による侵犯（ジャック・デリダの目論む《脱構築》）が、残された最後の手段だということになろう。しかし、本書において、バタイユは、誠実さに息切れしている。そこで、バタイユは、書きながら考えるという、書くことと考えることが別のものではないという彼本来のスタイルに戻っている。論証的言述は、文学的エクリチュール（もちろんエクリチュール自身を否定するエクリチュールという意味で）に席を譲っている。これは、エクリチュールが、エロティシズムと同じところで《死》とつながっていることを考えれば、当然のことである。書くとは、本来、論証的言述から逸脱することなのであり（「遠ざかる」というバタイユの言葉は、実に正確だ）、論証的言述の役割は、たとえばピエール・クロソウスキーの小説に見られるように、論証の模像《シミュラークル》として、エクリチュールの快楽を高めるために奉仕することにあるのだから。

複数のバタイユがいるのだろうか。否。複数のエクリチュールがあって、それらが戯れあうテクスト上の空間を、仮にわれわれがバタイユと呼んでいるだけなのである。

本書の特徴がその図版の豊富さにあることは、言うまでもない。図版の作成にあたっては、J＝M・ロ・デュカの協力があったらしい。本書の計画について、ロ・デュカに宛てた手紙（前掲『ジョルジュ・バタイユ全集』第十巻に収録されている）の中で、バタイユは、「この本を、これまでに私が出版したどの本よりも見事な本にしたい」（一九六〇年三月五日）、「それは、私が書いたもののなかで最も良い本であると同時に最も親しみやすい本になるに違いない」（同年十二月十六日）と述べているが、そのために、図版の写真や絵は、大いに役立っている。それは、論証的言述とは異なって、われわれの目に直接訴えかける。

しかし、この直接性は、直接的だろうか。

たとえば、本書に掲載された夥しい裸体画は、彼女たちの裸体と同じように裸であるのだろうか。裸体については、それが衣服を脱がされた肉体だということを指摘しておきたい。だから、彼女たちが動物と同じように裸だと言うことはできないし、逆に、動物の裸がエロティックであるためには、一度人間の裸体に置き換えて見るという過程が不可欠である。死の意識をもたない動物はエロティシズムを知らず、一度衣服を着た肉体しか真に裸になることはできない。このとき、衣服とは、われわれの文化や制度や意識でもあるのだから、裸体画を見るときには、見ているわれわれもまた、そうした裸体画の女性たちと同じように裸にされ、侵されるのである。

したがって、絵画とは、読まれるべきテクスト、もうひとつのエクリチュールだと言うことができる。ラスコーの壁画やディオニュソスの秘儀の図は、その解読不可能とも思える謎によって、バタイユを惹きつけてやまない。「意識的でないものは、人間的でない」というのは、本書を貫く最も太い糸である。

最後に、以下のことをつけ加えるのは、あらずもがなの蛇足であろう。こうした教師的配慮は、何よりバタイユの意に反するし、恥ずべきことですらある。

例の「中国の処刑」の写真について、バタイユが、その「像の激しさの中に、無限の倒立的な価値を見抜いたのは」、「ずっと後になって」、ヨガの行法の最中のことであった。この像の「利用法」について、彼は、本書の中で、次のように言っている。

私は、サド侯爵が、夢想しながらも彼には接し得ないものであった現実の処刑に立ち会うことなしに、処刑の像から引き出したでもあろう利用法を想像する。彼は、その像を、なんらかの仕方で、たえず自分の目の前に持つというわけなのだ。けれども、サドは、孤独の中において、少なくとも、相対的な孤独の中において、それを見ようとしたでもあろう。その孤独なしには、恍惚的で悦楽的な解決策は考えられないのである。

サドの途方もない作品の多くは、牢獄の圧倒的な乏しさと孤独の中で書かれた。サドの想像力にとっては、彼の眼球と脳髄を包むほんのわずかな空間があればそれでよかった。事実、快楽があまりにも容易に手に入るときには、それが自分から奪われているものだと想像する必要すらあったのだ。

結局のところ、バタイユは、獄中のサドがそうであったように、文学者であったのだろうか（いささか常軌を逸しているとはいえ、少なくとも殺人者や犯罪者ではなかった）。「宗教的恍惚とエロティシズム」との根本的な関係は、本質的に文学に属する領域の事柄であるのだろうか。確かに、バタイユは、「文学は宗教の後に現れた、宗教の後継者たる地位に立っている」（『エロティシズム』）と、また、「エロティックな刺激を昂めるものの真の性質は文学的にしか開示されえない」（『エロティシズムの歴史』）と断言している。だからこそ文学は危険だと考えるか、あるいは紙の上の絵空事にすぎないと考えるか、その選択は、読者であるわれわれの手に委ねられている。

ちくま学芸文庫

エロスの涙《なみだ》

二〇〇一年四月 十 日 第 一 刷発行
二〇二五年一月十五日 第十二刷発行

著 者 ジョルジュ・バタイユ
訳 者 森本和夫（もりもと・かずお）
発行者 増田健史
発行所 株式会社 筑摩書房
東京都台東区蔵前二―五―三 〒一一一―八七五五
電話番号 〇三―五六八七―二六〇一（代表）
装幀者 安野光雅
印刷所 中央精版印刷株式会社
製本所 中央精版印刷株式会社

ISBN978-4-480-08628-0 C0110